Esther Tusquets

¡Bingo!

EDITORIAL ANAGRAMA

BARCELONA

Diseño de la colección:
Julio Vivas
Ilustración: foto © Gregori Civera

© EDITORIAL ANAGRAMA, S. A., 2007
Pedró de la Creu, 58
08034 Barcelona

ISBN: 978-84-339-7145-6
Depósito Legal: B. 516-2007

Printed in Spain

Liberdúplex, S. L. U., ctra BV 2249, km, 7,4 - Polígono Torrentfondo
08791 Sant Llorenç d'Hortons

Para Néstor, prudente y cariñoso guardián, que me protege de mi afición binguera, mi tendencia a la ludopatía y otras aberraciones. Con todo el amor del mundo.

1

Él creía –piensa, o tal vez musita, porque no le sorprendería descubrir que últimamente a veces habla solo– que la vejez (de hecho no le había preocupado en ningún momento de su vida la vejez, la muerte sí, sobre todo en la infancia, y era curioso que nunca hubiera podido imaginarse a sí mismo como viejo) iba a consistir en sufrir achaques, perder los dientes y el pelo, levantarse con un dolor distinto o con el mismo dolor todas las mañanas, y ante todo en desear algo y no disponer ya de fuerzas para conseguirlo, o para disfrutar de ello. ¿No decían todos que por dentro, anímicamente, se sentían jóvenes, como si tuvieran treinta o cuarenta años, y que era el cuerpo el que fallaba?

Pero ahora, a punto de cumplir los sesenta, está entrando sin lugar a dudas en la tercera edad, y constata que, al menos en su caso, lo grave de la vejez no radica en las dolencias ni las pérdidas, que sí las hay pero son todavía muy leves y no le afectan apenas para nada, no es tampoco que no pueda conseguir lo que desea: se trata, y le parece mucho peor, de que, de forma gradual e inexplicable, a lo largo de los últimos meses, sobre todo desde que se inició la primavera –la siempre siniestra, depresiva, odiosa primavera–, ha dejado de desear, de que aquellas cosas que mayor placer le habían proporcionado –los viajes, la música, el mar, su colección de primeras ediciones, incluso la pintura o las mujeres– le son de día en día más indiferentes. Y resulta irónico que esto ocurra cuando el despacho funciona mejor que nunca –se ha convertido de hecho en una de las tres o cuatro notarías más importantes de la ciudad– y dispone de mucho más dinero del que necesita y es capaz de gastar, y puede, por fin, y eso sí constituye una novedad, tomarse todo el tiempo libre que desee (sólo que ahora, en lugar de aprovecharlo para reunirse con amigos, o ir con Adela al cine, al teatro, a un concierto, a una subasta de arte, o simplemente a cenar; en lugar de organizar un viaje, o de encerrarse a trabajar en su estudio, lo consume deambulando a solas por la ciudad o pasando las horas muertas en un café de barrio), y su última exposición –ya no el hobby de un aficionado, sino la obra de un buen profesional– ha sido un éxito de crítica e incluso de venta, y hace apenas un año quedó tercero en un torneo de golf donde participaban hombres mucho más jóvenes, y sabe que sigue gustando a las mujeres, no a todas pero sí a un variadísimo tipo de mujeres, y que no tiene todavía problemas con el sexo (¿a eso se referirán sus amigos al lamentarse de que falla el cuerpo?), porque ahí, lo mismo que en el deporte, la experiencia suple todavía la pérdida de vigor. El problema surge acaso luego, al tener que soportar su charla, que antes le divertía, le interesaba más incluso que la de los hombres, y en la que se prestaba gustoso a participar, pero en la que ahora –además de perder la capacidad de desear, ha perdido la mínima paciencia necesaria para soportar la tontería ajena– le irrita la acumulación de tópicos, la afectación, la ausencia sobre todo de sentido del humor, o las ridículas demandas de amor, tan fuera de lugar, esa manía femenina de transformar en historieta sentimental lo que no es tampoco para ellas, lejana ya la adolescencia, más que un ligue fortuito sin previsibles consecuencias, tal vez porque arrastran a menudo, vivan o no en pareja, una necesidad patética de comprensión y de cariño, o, más probable, porque les parecería indecente, salvo a las muy jóvenes, hacer el amor sin que interviniera ni una mera apariencia de amor.

Y a él estos polvos fortuitos con mujeres que

11

como personas no le interesan demasiado, que a veces ni siquiera le gustan físicamente, que han aparecido no se sabe muy bien cómo en su cama (o él en la de ellas), mujeres por las que no siente nada, pero que le obligan a los gestos y palabras que se esperan de un amante, le resultan desde hace unos meses cada vez menos placenteras y más irritantes. De modo que ha ido rehuyendo, por pereza, ese tipo de encuentros, y por primera vez, y nadie lo sospecha, su vida amorosa se reduce a Adela, por la que no ha sentido nunca la pasión desmesurada y obsesiva, casi una enfermedad, que ha experimentado a lo largo de su vida algunas veces, tampoco tantas, sobre todo, y de esto hace un montón de años, por Ana («quizás si tú, ya entonces más apasionada y vital que yo, tú, que asegurabas, y era cierto, no aburrirte nunca, estuvieras aquí», piensa cada vez con mayor frecuencia el hombre, «me sería más fácil, me sería al menos posible, conservar el interés por unas aficiones que habíamos tan intensamente compartido»), pero que no espera protestas de amor –jamás le pregunta si todavía la quiere, ni siquiera si la ha querido alguna vez–, Adela que, en lugar de ponerse sentimental, le enciende un cigarrillo, se lo introduce entre los labios y le deja luego dormir en paz, y que no dice nunca –a veces, raro que es uno, casi lo echa él en falta– tópicos ni tonterías.

Hace un par de meses, el médico, amigo de toda la vida, que efectúa un chequeo anual a los empleados del despacho, había dictaminado jocoso (¿o le conocía lo bastante para estar hablando en serio?), tras examinar los análisis: «No sé si te doy una alegría o un disgusto, pero, salvo accidentes imprevistos, tienes una esperanza de vida de treinta años.» Y él no había comentado nada, pero había pensado que, si bien no era propiamente un disgusto, tampoco le hacía en exceso feliz, inmerso como está en un desinterés del que le da vértigo medir la profundidad y que lo abarca todo, un desinterés que ignora en qué momento ha comenzado, si algún incidente concreto que no localiza ni recuerda lo ha desencadenado o si se debe sólo al paso de los años, pero que ha ido invadiendo su vida, sin que él pudiera hacer nada por evitarlo, de un modo desolador.

Como es desolador arrastrarse ahora a primeras horas de la tarde, a pleno sol, cuando él odia el sol (lo ha odiado desde niño –desaparecen los deseos y los amores, pero los odios y las fobias se acrecientan por lo visto con el paso de los años–, desde aquellos paseos domingueros con la nurse y con su hermana, aprisionado él en la horrible ropa de los días de fiesta, mucho más incómoda que el uniforme de colegio, y abrumada la niña por el oprobio de un sombrerito que les parecía a los dos el colmo del ridículo), sólo lo soporta a bordo de una embarcación, ni siquiera en la playa, y menos aquí, en esta amplia avenida ahora desierta y desangelada, a la que no viene nunca y a la que ha llegado por azar, huyendo del despacho, donde, a pesar de que todo funciona perfectamente sin él, no puede evitar las consultas, las visitas, las llamadas telefónicas, porque se estableció hace años el vicio –seguramente entonces le gustaba e incluso lo propiciaba: esa maldita vanidad de creerse indispensable– de recurrir a él para cualquier nimiedad, y lo siguen haciendo, por más que haya dejado obviamente de ser imprescindible, y por más que dé instrucciones de que no le interrumpan para nada y se encierre en su despacho, sin otro propósito que mirar el techo, o resolver crucigramas, o recordar morosamente su pasado, porque, a medida que el presente se despoja de interés, el pasado revive cada vez con mayor fuerza, y ése sí debe de ser un síntoma de vejez unánimemente, o al menos por muchos, compartido.

Caso de vivir solo, piensa, tal vez algunas mañanas no se levantaría siquiera de la cama, se ahorraría estas caminatas absurdas, los bares deprimentes con olor a aceite frito y estruendo de televisor y discusiones sobre el Barça, se ahorraría las horas desoladoras ante su mesa de trabajo o, cada vez con menor frecuencia, ante el caballete del estudio, sabiéndose incapaz de coger un pin-

14

cel o de oprimir una sola tecla del ordenador. A no ser por Adela –que, por muy discreta y respetuosa que sea, por mucho que se haya impuesto no interferir en los asuntos de su marido, le mira perpleja, acaso preocupada, entra y sale con cualquier pretexto de la habitación y termina por preguntarle si ocurre algo, si se siente enfermo, si no va a ir al despacho, si no le espera nadie esta mañana–, se quedaría acostado, el televisor en marcha (aunque apenas lo mire), unas cervezas y una cajetilla de Ducados sobre la mesilla de noche, y un par de periódicos al alcance de la mano (que hojeará distraído y apresurado, fijándose sólo en los titulares, para pasar enseguida a los pasatiempos), ni siquiera un libro, porque ha dejado incluso de leer. Y eso sí le parece raro, porque los libros, más que una afición, han sido una necesidad, algo de lo que creyó imposible prescindir. «Podría vivir sin escribir», decía a veces Ana, que soñaba entonces en llegar a ser poeta, «pero no podría vivir sin leer.» Y él siempre estuvo de acuerdo: inconcebible vivir sin leer. («Y ahora, Ana, los libros se me caen de las manos. Me duermo en los conciertos y hasta en el cine. No soporto hasta el final las representaciones teatrales, que tú y yo habíamos seguido con fervor, a veces desde las últimas filas del gallinero o de pie en los pasillos, renunciando a cenar para ver un *Hamlet* en polaco o una *Casa de muñecas* en sueco, sin

15

que nos importara no entender ni media palabra.»)

Pero en estos momentos lo único que le importa es escapar del sol –nunca tan insoportable como en esos primeros calores que anuncian, en esta ciudad sin primavera, el verano–, escapar del tumulto y el ruido de la calle, sumergirse en un refugio silencioso, oscuro, frío. «En una iglesia», piensa, «como cuando en la adolescencia tenía que entregar a mis padres una carta del director del colegio quejándose de mi conducta y demoraba el momento finalmente inevitable de regresar a casa.» Sentarse en los últimos bancos o, todavía mejor, en el claustro de una iglesia, a estas horas seguro que vacía. Mil veces preferible una iglesia que un café. Pero no hay iglesias en esta calle, y se introduce por la primera de las múltiples puertas de un local abierto e iluminado, desde la que un tramo de escalera enmoquetada en rojo y segmentada por barandillas de latón dorado asciende hasta el vestíbulo. Recuerda haber estado ya otra vez aquí, hace años, en grupo, tras una cena en que se celebraba algo, quizás que un compañero de promoción se hubiera doctorado o hubiera ganado las oposiciones. Desde entonces lo han modernizado mucho, pero reconoce de inmediato el tintineo de las máquinas tragaperras alineadas contra la pared, el parpadeante «esperen» en letras rojas sobre las puertas de la sala, el

16

mostrador de admisión, al que se acerca ahora, mientras extrae de la cartera su carné de identidad.

No es mal lugar un bingo para dejar transcurrir en paz lo que resta de tarde, las largas horas que faltan todavía hasta que llegue el anochecer y pueda volver a casa y cenar cualquier cosa con Adela (seguramente a solas, porque no le oculta a ella su fastidio –en ocasiones tampoco a ellos– cuando encuentra invitados, por muy amigos que sean, sentados a la mesa) y, tras unos minutos de charla, manifestar que está cansado, desearle buenas noches, encerrarse en su dormitorio y dar por terminada la jornada. No es mal lugar un bingo, donde tiene además la certeza, o la casi certeza, de no encontrar a nadie conocido, porque no imagina a sus amigos o colegas en este tipo de local, acaso como mucho en el casino, y Adela no le ha comentado que ninguna de sus amigas muestre síntomas de esta peculiar y un tanto hortera miniludopatía.

Elige una mesa del fondo, entre las muchas que a esta hora están aún vacías, se sienta de cara a la sala, responde distraídamente «una serie», porque es lo que acaba de oír en la mesa contigua, a la muchacha de uniforme rojo –largas piernas, gran mata de cabello rizado y oscuro– que se acerca a preguntarle cuántos quiere –«cuántos le dejo»–, pide a un camarero una cerveza, y tan

17

abstraído está, tan ajeno al juego, que, a pesar de oír por el altavoz una voz femenina y gangosa –difícil precisar si bobalicona o sensual–, no se da cuenta de que la voz está recitando los números, ni de que han empezado a encenderse simultáneamente esos mismos números en las grandes pantallas distribuidas por la sala y en la pantallita que ocupa el centro de su mesa, hasta que el camarero le advierte cómplice en un susurro, mientras le sirve la cerveza: «Señor, han cantado el 17.» El 17 y el 2 y el 5 y el 60, un montón de números que han salido ya y que él no ha tachado en ninguno de sus seis cartones, y que va localizando ahora precipitadamente en la pantalla, aunque, cuando alguien grita «¡bingo!», no está en absoluto seguro de no haber olvidado alguno y de no tener bingo también. ¡Qué más da! No ha entrado aquí para jugar.

2

Es la segunda vez en su vida que ha entrado en un bingo, y recuerda que la primera vez no le gustó. No le atrajo un juego que obedece únicamente al azar y no deja el menor margen a la propia iniciativa. Imposible pretender saber jugar o no saber jugar al bingo, piensa, inútil ensayar tácticas, como puede hacerse en el black jack o incluso en la ruleta. Pero esta tarde se siente cómodo aquí –rodeado de extraños, viendo deambular a las muchachas de rojo que venden los cartones, a los camareros con la servilleta al brazo y la bandeja en alto, a los clientes que entran o salen o simplemente cambian de lugar–, de modo que pide de nuevo cartones a la chica de largas piernas y oscura cabellera rizosa, aunque esta vez sólo dos, para poder ir tachando sin apuro los números mientras saborea la cerveza y el cigarrillo, y observa a la gente, y piensa en sus cosas, o sea en el pasado (sobre todo en su niñez y en Ana, dos realidades que durante años creyó haber relegado al olvido, que no consideró siquiera primordiales, y que aparecen ahora cada vez con mayor frecuencia, más nítidas, en un bosque de sombras donde los restantes recuerdos se difuminan), y en esa indiferencia, esa desgana, que está carcomiendo sin pausa su presente. O no piensa ya en nada. Se limita a estar allí, a salvo del sol y del tumulto de la calle, tachando los números que canta la voz gangosa de mujer (que pretende acaso ser insinuante y sensual), segundos después de que aparezcan en las pantallas, sin apuro pero con cuidado, no porque aspire a ganar (ha leído –pura deformación profesional– el dorso de los cartones, y allí consta entre otros datos que de la cantidad que invierten los jugadores vuelve a ellos en forma de premios un 52 %, o sea poco más de la mitad: mal lo tienen quienes alienten esperanzas de enriquecerse en el bingo), sino porque detesta equivocarse, y supone que, con tanto ordenador en marcha, los encargados del juego tienen que saber forzosamente en qué momento hay un cartón premiado, aunque el propietario del cartón no se haya dado cuenta y no haya cantado «bingo». Y a él, que cree haber perdido el interés por todo pero que no ha superado al parecer sus tics de primero de clase, le resultaría sumamente desagradable cantar «bingo» y no tenerlo, pero también tenerlo y no cantarlo porque no se ha dado cuenta a tiempo.

(«Es curioso, me parece curioso, que cuando pienso en ti, Ana, te recuerde siempre con la misma ropa: un vestido de verano, de cuadraditos blancos y azules, entallado hasta media cadera y abierto luego en pliegues apretados. Con ese vestido y con los pendientes de ámbar que te compré en una ciudad alemana, creo recordar que Heidelberg, y que perdiste al poco tiempo, porque lo perdías todo, y entonces te desesperabas y te enfurecías y nos echabas la culpa a los demás. "Si no te hubieras precipitado a pagar tú mi cuenta, yo no me habría dejado el billetero en el probador", o: "Si no hubiera sabido lo impaciente que te pone esperar, no habría olvidado el anillo en los lavabos del hotel." Y yo me reía, y te decía que no te preocuparas y te compraba en cuanto podía, sin hacer caso de tus protestas, otro anillo igual, aunque probablemente volverías a perderlo, y aunque no fuera por otra parte seguro que te interesaran las joyas –sí te gustó, esto lo sé, la pulsera de plata, y la perdiste también, en que había hecho grabar una frase del Pequeño Príncipe: *"Je suis responsable de ma rose"*–, ni muchas de las cosas que te regalaba: era yo quien me obstinaba en dártelo todo, en que lo tuvieras todo.»)

Qué absurdo, piensa ahora, su empeño en

21

que aquella muchachita de un pueblo costero próximo a Francia –él la llamaba a veces la «Ben Plantada», «mi Ben Plantada»–, donde sus padres tenían una pequeña tienda de ultramarinos, reuniera el repertorio obligado de las burguesitas de pro, como sus hermanas y las amigas de sus hermanas, incluido el collar de perlas y el reloj de oro y los pendientes con una perlita y un brillante, joyas convencionales y ni siquiera especialmente hermosas, o en comprarle unas prendas de ropa, ésas sí muy bonitas, pero que Ana probablemente no hubiera elegido y no iba apenas a llevar. Ese vicio, que acaso ya ha perdido, no está seguro, de imponer a los demás, sobre todo a los que ama, pero también a personas que le son en el fondo indiferentes, lo que él ha decidido tiene que gustarles y hacerlas felices, sin prestar atención a lo que ellas desean.

Pero no puede seguir pensando en Ana, porque una mujer exuberante, un poco pasada de peso, pero todavía atractiva –debió de ser, piensa él, una real hembra, una auténtica belleza en su juventud–, vestida de negro, con un gran broche de bisutería multicolor –brillantes, esmeraldas y rubíes– en el vértice del escote, se ha acercado a su mesa, le ha preguntado si puede sentarse, se ha arrellanado en un silloncito, ha dejado chaqueta y bolso en el contiguo, ha dispuesto ordenadamente ante ella el montón de dinero, el paquete de tabaco, el mechero, un par de rotuladores, los cartones que ya tenía comprados, y le está explicando que cambia de lugar porque en el que ocupaba no se canta nunca y menos con la sosaina que reparte ahora allí los cartones, un desastre la pobre, parece que lo haga adrede, no entiende por qué, si no quieren despedirla –que le parece muy bien, sólo faltaría que uno perdiera el empleo por ser gafe–, no la pasan al vestuario o a los lavabos, porque una viene al bingo para cantar, ¿no le parece? (el hombre opta por no explicarle lo que acerca del cincuenta y dos por ciento especifican al dorso los cartones), y no para estar ahí tachando como una tonta y quedándose siempre a cinco o seis números y sin cantar siquiera una asquerosa línea, en cambio esta mesa es de las mejores, él ha elegido muy bien, se ve que entiende, en esta mesa se canta siempre.

«Sobre todo con los cartones que tú me darás, ¿verdad, guapa?», interrumpe su monólogo para dirigirse luego a la muchacha en rojo de largas piernas y tupidos rizos que cruza apresurada por su lado, y que se detiene un momento para decir: «Me sobran dos, cariño.» Y la mujer los coge, los junta a los que ya tiene, los pega a la mesa con unos papelitos engomados, sigue charlando sin parar, hasta que empieza el juego. Entonces calla por fin y empieza a tachar números con ejemplar entusiasmo y aplicación –incluso

23

asoma un poco la lengua por la comisura de los labios y frunce el entrecejo, como los niños en la escuela–, con esa fe que algunos pretenden mueve montañas. Y luego, con voz estentórea, canta «¡bingo!, ¡bingo!, ¡bingo!». Tres veces bingo. Fantástico, piensa él. Mejor no haberle hablado del cincuenta y dos por ciento.

3

Han transcurrido cuatro o cinco días antes de
que vuelva a ascender la escalera enmoquetada en
rojo con barandillas de latón. De hecho no se había propuesto regresar e incluso ahora, mientras
tiende al empleado del mostrador de admisión su
carné de identidad –ya no hace falta mostrarlo ni
anotar los datos, basta con que dé el número, le
advierte éste–, se pregunta si ha llegado casualmente hasta aquí en su deambular sin rumbo por
la ciudad o si le ha arrastrado el secreto deseo de
sumergirse de nuevo en la amplia sala y escapar
así al exceso de calor, al exceso de luz. El deseo de
ver a las muchachas de rojo deslizarse veloces, con
una eficacia que le admira, entre las mesas, repartiendo cartones, sin equivocar casi nunca el orden
de los compradores –lo cual sería fatal y provo-
caría airadas protestas, porque podría alterar la

suerte, aprendió ya el otro día, cuando intentó ceder amable su turno a la mujer sentada a su lado–, ni cuántos cartones han pedido, ni si los quieren «de serie» o «como vengan», ni el cambio que van dejando sobre las mesas; o pregonando «último, último», o «sobra uno» o «bingo» para agotar los cartones antes de que empiece la partida (siempre se los queda alguien, a veces los piden simultáneamente desde dos o tres puntos de la sala, no vayan a ser precisamente ésos los de la suerte); o transportando hasta la mesa de los ganadores un armatoste de metal dorado, lo llaman palo, donde se coloca el cartón premiado; o llevando en unas bandejitas el dinero, dando la enhorabuena, las gracias por la propina, mientras en los grandes paneles que cubren las paredes se iluminan hipnóticos en rojo y verde los números que recita por el micrófono la voz gangosa y femenina (ha decidido que le gusta esa exacta mezcla de bobería y sensualidad, ese tonillo de teléfono erótico a medianoche, entre cómplice y provocador), que no sabe si es la misma o si se trata de voces elegidas adrede muy parecidas, y que finalmente resultarán ser muchas y no obedecer a criterio alguno.

Esta tarde, y las que seguirán, se dirige a la misma zona de la sala que ocupó el primer día, porque ha oído que es allí donde mejor funciona el aire acondicionado y porque le haría gracia coincidir con la hermosa mujer vestida de negro

26

y con el aparatoso broche de bisutería en el escote, que, después de cantar bingo y de cobrarlo, y de repartir generosas propinas a la chica que le entregó el dinero y a la que le había vendido el cartón, y de quemar con solemnidad ritual sobre el cenicero el papelito donde constaba el premio –dejarlo sobre la mesa les iba a traer a los dos pésima suerte–, le había regalado a él cuatro cartones de la siguiente partida.

Y allí está efectivamente la mujer –allí estará muchas tardes y casi todas las noches, hasta la hora de cierre–, sola, con el mismo broche y un vestido también negro, pero distinto, por cuyo escote, más generoso, desbordan hoy dos pechos soberbios. Le sonríe, le indica que se siente y, cuando él deposita desordenadamente sobre la mesa varios billetes de diez euros, le reprende: «Así no, no puede dejar así el dinero. Tiene que poner los billetes apilados en un montón, y con la cara hacia arriba. O no va a cantar nunca.» De modo que sí existen tácticas para ganar al bingo, y deben de ser muchas, pues, mientras él coloca obediente sus treinta euros como se le ha indicado, ella prosigue: «Y no se puede dejar el bolso en el suelo, sabe, porque, si dejas el bolso en el suelo, se escapa el dinero.»

Y no es únicamente esta mujer la que está convencida de que no se trata sólo de la suerte, del puro azar, de algo que escapa a nuestro control; son, irá descubriendo él con sorpresa, una inmensa mayoría de jugadores, hombres y mujeres, de muy diversa clase social y educación, algunos hasta con estudios universitarios, los que creen que hay unas mesas mejores que otras, que unas vendedoras o vendedores reparten más bingos que otros, que el número de serie del cartón o la distribución de los números en las casillas determinan su buena o mala suerte –«las mejores distribuciones», le ha explicado la mujer de negro con broche, «son la margarita y el gitano», y se las ha dibujado en un papel–, que hay que realizar con ellos una serie de gestos rituales –quemarlos, tirarlos al suelo, metérselos en el sujetador, sentarse encima, restregarlos contra la mesa para calentarlos, apoyarlos contra tu barriga si estás embarazada, o contra la de tu vecina si es ella quien lo está–, y que hay sobre todo un montón de cosas que no se pueden hacer ni decir, porque te gafan de forma irreparable. De modo que el hombre está temiendo todo el tiempo que un «¡no!» horrorizado de su nueva amiga petrifique un gesto que él inició con la mayor inocencia del mundo, sin sospechar que podía desencadenar terribles desastres.

Y ahora ha dejado por unos momentos de dar vueltas a un pasado tan remoto que tal vez, más que recordar, inventa, y está con la mente en blanco, la mano y el rotulador en suspenso sobre

28

los cartones, en espera de que la voz, hoy sí es la misma del primer día, a la que finalmente ha decidido que un toque de bobería acrecienta la sensualidad, anuncie: «atención, señoras y señores, comenzamos», escuchando, o mejor oyendo sin prestar demasiada atención, las conversaciones de las mesas vecinas.

A las seis de la tarde la sala se ha llenado de señoras de mediana edad, mucho más discretas, más formales, en el vestir que su nueva amiga (nunca se les ocurriría sentarse como ha hecho él a su mesa), que, salvo contadas excepciones (una anciana se enfurece cada vez que termina una partida sin que ella cante, lanza rabiosa los cartones contra el suelo, increpa a otra mujer algo más joven que va con ella y que trata en vano de calmarla, grita que aquello es indignante, una auténtica estafa, y que se van ya, y la acompañante asiente que bueno, que muy bien, pues que se van, «has sido tú la que has querido venir», pero la primera nunca es capaz de cumplir su amenaza, decide siempre, en el último instante, jugar una partida más; casi todos los jugadores, irá él comprobando, anuncian que van a marcharse y siguen allí hasta que se les termina el tiempo o el dinero), llenan con calma los cartones mientras meriendan, y ni siquiera pierden la compostura cuando cantan «línea» o «bingo». Y, entre partida y partida, conversan de sus cosas, sorprendentemente parecidas a aquellas de las que hablaban –y han pasado más de cincuenta años– su madre y sus tías y las amigas de la madre y de las tías bajo los toldos de la playa o en las granjas donde recalaban, las tardes que iban de compras, para tomar un chocolate con bizcochos o una taza de té. Lanzan de vez en cuando, eso sí, una mirada de reproche a la anciana vocinglera e iracunda, y a dos hombres, evidentemente amigos, que se han sentado en mesas separadas, ni siquiera contiguas, pudiendo sentarse en la misma, y que conversan de una a otra, a gritos, de fútbol, de toros, de política, en un lenguaje que por grosero las escandaliza.

«Esos dos hacen todas las tardes lo mismo», le explica la mujer de negro con broche. «Se colocan lejos uno de otro y hablan a gritos, hasta en medio de las partidas, ni que lo hicieran adrede para fastidiar, que vaya si fastidian, cualquier día se me acaba la paciencia y me van a oír. Aunque es una tontería lo que hizo ayer una muchacha, que estaba sola en una mesa, y entonces llega uno de estos tipos y se sienta allí y su amigo en otra, y empiezan con lo de siempre, y ella se va poniendo de los nervios, y a la tercera partida, ya es casualidad, el de su mesa canta bingo, y, en cuanto le oye gritar bingo, agarra sus cosas y se larga corriendo a otro lugar, sin ni despedirse, y digo que es una tontería porque tampoco había motivo para tanto, y el hombre ese es un pelma, pero no es mala persona y es rumboso como él solo. Seguro que le regala un montón de cartones si se queda.»

El hombre sospecha que la muchacha huyó precisamente por eso, para evitar que le regalara un montón de cartones y tener que quedarse allí, poniéndole encima buena cara, pero no hace ningún comentario, porque ha empezado la partida y está enfrascado tachando números en la serie de seis cartones que juega en esta ocasión. Y mientras uno tacha cartones no piensa en nada, inmerso en una tarea hipnótica, automática, levemente excitante, que te arrastra al hilo de la voz de la locutora, sin que tengas nada que decidir, ni la menor iniciativa que tomar, porque –crean lo que crean los bingueros– nada va a alterar el orden en que saldrán del bombo las bolas, el orden en que ya están dispuestas, de modo que todo está decidido al empezar la partida. Pero que sea un juego tonto y que condene al participante a la más absoluta pasividad no le parece ya tan mal como antes, y hasta empieza a gustarle. Una maravilla no tener que pensar, pues, aunque casi nadie, ni siquiera Adela, lo sospeche, y a pesar de que incluso él mismo lo haya durante meses ignorado, nada le da ahora tanta pereza y le atrae tan poco como pensar. Y no deja de ser otra ventaja, al menos para él, que se trate de un juego absolutamente solitario, que puedes practicar en el rincón de una sala donde no conoces a nadie; un juego en el que no tienes pareja ni reales contrincantes, que empiezas cuando te apetece, sigues mientras tienes ganas y abandonas cuando se te antoja, sin otro trámite que despedirte y desearles suerte a los que permanecen en la mesa.

Como si le leyera el pensamiento, y quisiera desmentirlo, la mujer de negro con broche le comenta, entre partida y partida: «Aquí vienen bastantes hombres –como usted, claro–, pero sobre todo mujeres, y no puede imaginar cuántas lo hacen contra la voluntad de sus maridos o hasta a escondidas, y se pasan la tarde sufriendo por si las ve alguien y preocupadas por no llegar tarde a preparar la cena.» Y luego añade: «No es mi caso, sabe. Hace años que mis hijos se fueron de casa. Yo entro y salgo cuando quiero.» «No sé por qué, pero tengo la impresión de que, sola o no, usted haría siempre lo que quisiera.» Lo dice con una sonrisa cómplice, y la mujer lo toma como un halago, se echa a reír, se encoge de hombros, y ni asiente ni niega.

De todos modos, la mayoría de bingueros habituales, los que vienen varias veces por semana, algunos todos los días, y ocupan la misma zona y a ser posible la misma mesa, y se conocen entre sí y se dirigen a los empleados por su nombre de pila (los camareros replican: «¿Lo mismo de siempre, don Paco?», o, anticipándose a la demanda:

32

«¿Un cafetito y una tarta de manzana, Carmen?», y las distribuidoras de cartones les llaman a unos y a otras «cariño» y «guapa»), no vienen como él en busca de refugio contra el sol y el tumulto de la calle, o porque les apetece una cerveza y no hay ningún bar cerca, ni siquiera porque les atraigan el ambiente, la luz, las señoritas de rojo, la voz sensual de la locutora, el encendido hipnótico de los paneles, no vienen para disfrutar de un remanso de soledad en medio de tanta gente, y no se han planteado nunca si les gusta o les da pereza pensar. Vienen porque les atrae el juego y alimentan (hayan leído o no el dorso de los cartones, cosa que apenas ninguno ha hecho) la idea de ganar: saben, porque lo oyen antes de cada partida por el micrófono y aparece en los paneles, que se han puesto a la venta trescientos o cuatrocientos cartones, a veces muchos más, y que ellos llevan tal vez uno o dos, pero les sorprende y les escandaliza que no sea el suyo o uno de los suyos el ganador. Y no iban a entender que él vaya a pasar allí tardes enteras, tachando aplicado series de seis cartones –jugar con menos le parece aburrido–, no se le vaya a escapar un número, sin tener la menor esperanza de cantar un bingo y ni siquiera una triste línea.

Y menos entenderían que hoy termine la tarde, pase la hora de la cena, la hora en que Adela le espera para cenar –no recuerda si solos o con amigos, pero le da igual–, y él se limite a llamar a su casa, a decirle a la chica que responde al teléfono que avise a la señora que no le espere, y a continuar allí, tachando series de cartones, bebiendo cervezas, pidiendo una pizza cuando siente hambre, y viendo cómo va cambiando paulatinamente el público del local, cómo desaparecen las señoras que meriendan y hablan de las mismas cosas de las que hablaban sus tías cincuenta años atrás (aunque tal vez lleve razón Adela y sea pura misoginia encontrar tan insoportablemente estúpidas las conversaciones de la inmensa mayoría de mujeres, tal vez las conversaciones que mantienen entre sí los hombres no les vayan a la zaga en cuanto a estupidez), y los matrimonios convencionales que cenan en sus casas y a sus horas, y los grupos de estudiantes que vienen a ver en qué consiste esto y a divertirse un rato, para ser sustituidos en parte por pintorescos y fascinantes animales de la noche, mientras el ambiente se vuelve más desenfadado, más vulgar, y es mucha ahora la gente que se habla a gritos de mesa a mesa y que bromea con los camareros, y algunos clientes, casi siempre mayores, piropean a las vendedoras de cartones, y proliferan los «cariño» y «tesoro» y «reina» y «guapo» o «guapa», y surgen difusos conatos de ligue, y menudean las salidas al vestíbulo para sacar dinero del cajero automático, y se adueña de algunos bingueros la ansiedad imperiosa, o acaso la necesidad desesperada, de ganar, de recuperar el dinero que llevan perdido y que seguramente algunos no podían permitirse perder.

4

«Lo primero que me llegó de ti fue la voz, Ana», reanuda el hombre ese diálogo con un fantasma mudo, un diálogo sin posible respuesta que acaso le sirve para mejor entenderse, o que utiliza como terapia, o que ha inventado simplemente porque le divierte. «Después conocería tu cuerpo milímetro a milímetro, hasta el punto de ser capaz de dibujar con los ojos cerrados y sin equivocarme cada uno de tus miembros, cada curva, cada oquedad, cada gesto de tus manos, cada expresión de tu rostro, de poder reproducir la textura exacta de tu piel y el matiz del color de tus ojos según tu estado de ánimo, según la estación, según la hora del día. Llevabas razón cuando protestabas de que te tuviera tanto tiempo posando, porque hubiera podido pintarte de memoria. Lo haría luego muchas veces, incluso años después, y me pregunto si te reconociste en algún cuadro colgado en casa de amigos comunes –caso de que los hubiera después de que terminara de modo tan abrupto y lamentable nuestra historia– o expuesto en una galería, y qué pensarías, o mejor qué sentirías, cuando un buen día vieras, si los viste, en los escaparates de algunas tiendas unos carteles donde aparecía, inconfundible, tu cuerpo de muchachita pueblerina; si cederías, por muy totalmente que me hubieras borrado de tu vida, a la curiosidad de visitar la exposición y descubrirías allí que el cuadro que había elegido para el cartel se titulaba *La Ben Plantada*. Así te llamaba yo algunas veces, ¿recuerdas? La Ben Plantada, mi Ben Plantada.

Tu bonito cuerpo tan extraordinariamente vivo, tus piernas soberbias, que no líricas, ¿cómo se le pudo ocurrir a nadie, y menos a un novelista adicto a las mujeres, elogiar unas piernas femeninas como líricas?, tus caderas de ánfora, que a ti te parecían excesivas (aunque lo cierto es que tu aspecto físico te importaba poco –no te gustaría que al evocarte me esté refiriendo en primer lugar a tu cuerpo–, y cuando yo insistía "eres preciosa", tú replicabas sonriendo: "Para ti, soy preciosa para ti, lo soy todo, soy toda para ti"), tu fina cintura, tus pechos perfectos ("hay escasos diseños perfectos en el mundo", bromeaba yo, "unos pocos obra de la naturaleza, algunos obra del hom-

37

bre, y entre los mejores figuran tus pechos"), tu cuello largo, tu rostro de rasgos delicados, tus oscuros ojos no muy grandes pero resplandecientes, tu cabello breve y alborotado, que nunca conseguí dejaras crecer, como tampoco conseguiría nunca que llevaras zapatos de tacón, te maquillaras levemente o te vistieras de modo más sofisticado. Aunque la verdad es que no me importaba, porque no mentía al decirte que te encontraba preciosa, y durante mucho tiempo no existió para mí en el mundo otra mujer más atractiva, de hecho durante mucho tiempo no existió para mí en el mundo otra mujer que tú. Y a pesar de que me gustaba hacerte rabiar asegurando que te amaba por el diseño perfecto de tus pechos o por tus piernas soberbias, los dos sabíamos que te amaba por todo lo que eras –del mismo modo en que me amabas tú a mí, porque también tú amabas mi cuerpo–, y te amaba acaso en primer lugar, lo reconozco ahora pero creo que lo supe siempre, porque nadie me había dado nunca –me refiero a alguien inteligente como tú y que me conociera tan bien como tú me conocías– una imagen tan halagadora de mí mismo, nadie me había visto nunca ni volvería nadie a verme nunca como tú me viste, como yo me veía reflejado en tus ojos, y casi lograste convencerme de que yo era así o podía llegar a serlo. Te amaba porque desde el primer día hasta casi el final de la historia apostaste por lo mejor que en mí había, cuando es tan frecuente y habitual terminar apostando por lo peor que hay en el otro.

Sí, después aprendería las múltiples y dispares texturas de tu piel (su piel morena, hijas de Jerusalén, aunque dudo que en el pueblo de la costa catalana donde tenían sus padres casa y negocio hubiera apacentado los ganados de nadie y le hubiera dado mucho el sol), toda una gama de suavidades que culminaba en la parte interna de los muslos; conocería las tibias humedades recónditas; captaría, cuando –¡gracias sean dadas a los cielos!– te abandonaba por fin el odioso desodorante –que te negabas a abandonar, aunque por el contrario apenas utilizaras los perfumes que yo te regalaba–, los cálidos y excitantes olores de tu cuerpo. Pero lo primero que me llegó de ti, Ana, fue la voz.

Salía yo del bar de la universidad y me encaminaba hacia la calle cuando oí tu voz en el patio de Letras. Era una voz femenina, pero tan grave que casi podía confundirse con la de un hombre, y tampoco el tono, decidido, exaltado, parecía propio de una mujer. No era frecuente en aquellos años que las chicas soltaran discursos en el patio de Letras, y me acerqué a curiosear. Y allí estabas tú –tan joven, encendida de ira, los ojos llameantes, los puños apretados, el pelo más alborotado que de costumbre–, encaramada a un banco, rodeada de un grupo bastante nutrido de estudiantes, lanzando una arenga revolucionaria. Hablabas muy bien, Ana, y tu voz grave, que en un primer momento me había parecido poco femenina, resultaba extrañamente turbadora en su ambigüedad, tal vez lo más sensual que había en ti. Ignoro qué les ocurrirá a otros hombres, pero a mí me bastaba oírla para desearte.

No recuerdo el incidente que motivaba tu discurso aquel día, ni por qué te sentías tan indignada, ni me importa –no me importa ahora ni me importó ya entonces demasiado, porque estaba menos interesado, y era mucho más escéptico, en cuestiones políticas, que tú–; sólo recuerdo que me pareciste magnífica –estabas magnífica, realmente preciosa, siempre que te enfadabas– y que, si al terminar hubieras gritado "¡a las barricadas!", yo habría recogido unos adoquines del jardín de la universidad y te hubiera seguido –sintiéndome ridículo, pero sin vacilar– para tomar contigo la Bastilla o la Comisaría Central de Policía o lo que tú dispusieras. De hecho libré a tu lado casi todas las batallas, aunque no fui jamás capaz de poner en ellas tu fe ni tu entusiasmo.

Dirías luego que te había gustado desde el primer momento, desde el mismísimo instante en que me viste aparecer y quedarme allí, en el claustro, un poco apartado de los demás, escuchándote, y que, cuando te propuse que tomáramos un café en el bar, y bajamos juntos la escalera, y ocupamos la mesa en que yo había estado sentado poco antes (sólo que mi vida no era ya la misma y tampoco yo me sentía el mismo, aunque no lo confesara tan abiertamente como tú, quizás porque me negaba a aceptar –nunca hasta entonces había creído en el flechazo– ese amor fulminante a primera vista, o tal vez porque no soy tan espontáneo, tan generoso en la entrega, y me resistía a ponerme en manos de alguien a quien acababa de conocer: los cielos no me han dotado, Ana, de tu magnífica insensatez, que siempre vi como un peligro pero que me hubiera liberado tal vez del marasmo, de ese sucio pantano de indiferencia, en que ahora he quedado varado y en el que sin remedio me hundo), y estuvimos charlando horas enteras atropelladamente de todo (como si quisiéramos recuperar el tiempo perdido, todo ese tiempo –tú tenías entonces dieciocho años y yo veintiuno, pero nos parecía larguísimo, un lamentable desperdicio– vivido, malvivido, sin conocernos); dirías luego que ya entonces, Ana, sabías que me amabas o que ibas a amarme muy pronto.

Y es cierto que a partir de aquella mañana no volvimos apenas a separarnos, sólo las inevitables horas de la noche que yo tenía que pasar en casa de mis padres y tú en la residencia de estudiantes, y ni siquiera eso, porque muchas veces, cuando se nos había hecho muy tarde viendo las películas que pasaban de madrugada en televisión, o charlando en la biblioteca ante la chimenea encendida, mi propia madre te proponía que te quedaras a dormir en nuestra habitación de invitados, y nos encantaba a los dos pasar la noche bajo un mismo techo, aunque no tuviera yo a veces ocasión de deslizarme hasta tu cama.

Nunca había compartido tantas cosas con nadie, nunca había estado tan unido a nadie, nunca había hecho el amor con una mujer de la que estuviera tan enamorado y que estuviera tan enamorada de mí (es más: creo que nunca había hecho el amor con una mujer por la que experimentara realmente amor), nunca me había sentido tan aceptado ni había sido tan feliz. Y lo sabía. No es cierto que uno no reconozca la felicidad hasta que la ha perdido. Acaso me sucediera justamente lo contrario: perdí conciencia de esta felicidad en el momento en que se esfumaba, en que la echaba yo brutalmente, despreocupadamente, por la borda, aunque supongo que no pude evitarlo, que todo sucedió al margen de mi voluntad, que perderte fue algo tan inevitable como lo había sido encontrarte.»

5

Hoy ha encontrado sentada a la mesa que suele compartir con Rosa (ahora él ya sabe que la real hembra de negro con broche se llama Rosa, y que, a pesar de que no lo necesita, porque cobra una buena pensión y sus hijos le pasan sin que nunca se lo haya pedido una cantidad muy generosa todos los meses, trabaja al mediodía ayudando a servir las comidas en el restaurante de un amigo, «más que nada para distraerme un poco y poder venir al bingo algunas tardes y sobre todo por las noches, porque me gusta vivir de noche, me levanto todas las mañanas hecha una porquería y me revitalizo de noche como los vampiros y no consigo dormirme hasta que casi amanece», le ha explicado) a una mujer joven, rubia, con unas facciones correctas y unos preciosos ojos verdes, pero inmensa, apenas cabe en el silloncito (es curioso, piensa, la cantidad de gordas que hay entre las bingueras, sobre todo entre las bingueras solitarias como ésta, y es también curioso que el bingo sea uno de los poquísimos lugares de Barcelona en que todavía predominan y no han perdido poder los fumadores, y donde se utiliza habitualmente el castellano). Aunque él no la haya visto nunca, se trata sin duda de una clienta habitual, ausente durante un tiempo, pues tutea y se dirige por su nombre a los empleados, las chicas de rojo acuden una tras otra a estamparle dos sonoros besos en las mejillas y no paran de llamarla «cariño», e incluso el jefe de sala se ha acercado un momento a saludarla. «Se te ha echado de menos, Celia», le dice.

Celia juega cada vez una serie entera, lleva seguramente aquí muchas horas y se lamenta de no haber cantado ni una línea, pero su máxima obsesión no es lo mucho que debe de haber perdido ella ni el afán de recuperarlo, sino que la mujer desconocida que juega impávida ante uno de los ordenadores y que se ha llevado hace rato un bingo sustancioso, el mejor premio del día, pierda antes de abandonar la sala todo o más de lo que ha ganado. De modo que (mientras engulle tres emparedados distintos que ha pedido le sirvan juntos, «para ir combinando los sabores del queso, la sobrasada y el jamón», y una ración de almendras, «abundante, porque cada día ponéis

44

menos»), va llevando la cuenta: «Ganó casi mil quinientos euros y juega por lo menos cinco series cada vez, o sea sesenta euros, y lleva jugadas diecinueve partidas, lo que da mil ciento cuarenta euros, de modo que le quedarían poco más de trescientos, pero, como ha ganado también dos líneas...» «¿Y a ti qué te importa que esa tía, a la que ni siquiera conoces, gane o pierda?», la corta Rosa, harta de oírla, aunque también ella detesta a los bingueros del ordenador y le indigna que se lleven la mayor parte de los premios, como si se tratara de una competencia innoble, casi una trampa, y sólo debiera suministrarse a cada jugador el número de cartones que es capaz de tachar a mano. «Pues sí que me importa», se atufa la otra, y pide una copa de helado. «Que sea doble, porque cada vez hacéis las bolas más pequeñas», le advierte al camarero.

Es sábado y, como casi todas las noches de los sábados, el bingo ha estado lleno a rebosar, con un público variopinto, en el que parejas todavía jóvenes y grupos de muchachos –que vienen a jugar, pero también a pasar un buen rato y a tomar unas copas y a hacer rabiar a los bingueros de las mesas vecinas armando bulla– se mezclan con los clientes habituales. Pero a estas horas –el bingo cierra a las cinco y son más de las cuatro– la sala ha quedado medio vacía, y a los jugadores que persisten obstinados, decididos a permanecer allí

45

hasta que les echen, les mueve más el prurito de llegar hasta el final, o la ansiosa esperanza de recuperar lo que a lo largo de toda la sesión llevan perdido, que un genuino deseo de seguir jugando. O quizás atrasen algunos todo lo posible la hora de regresar a una casa donde no les espera nadie, o donde les espera alguien a quien preferirían no ver; tal vez algunos vengan aquí por adicción al juego, pero también para escapar a la soledad y refugiarse en un reducto donde saben serán bien acogidos, donde van a encontrar caras conocidas, donde les llamarán «cariño» y «guapo» y «tesoro» y «reina», donde les preguntarán por la familia, las vacaciones, la salud, donde saben lo que les gusta tomar y cómo hay que servírselo, donde se sienten tal vez como en el hogar del que carecen o del que desean evadirse un rato. En cierto modo, piensa el hombre, el bingo no es sólo una sala de juego, un antro de ludópatas de medio pelo; el bingo ha venido a sustituir lo que podía ser el casino o el café de pueblo, un punto de encuentro y de tertulia.

Uno de estos tipos solitarios –que pasa aquí casi todas las veladas hasta la hora del cierre y empieza a lanzar frases enigmáticas y sentenciosas al aproximarse la madrugada, por lo que Rosa y él le llaman bromeando el «filósofo de medianoche»–, sentado hoy en la mesa contigua –a punto, parecía, de caer dormido sobre los cartones–, sale con un sobresalto de su sopor al oír a Celia y le contesta, como si esto zanjara ambas cuestiones –la supuesta creciente parquedad de las raciones de almendras y helados y su derecho a fiscalizar las pérdidas de la binguera del ordenador–: «Lo que ocurre, señora, es que la vida es una gran mentira.»

Se levanta trabajosamente, se traslada a su mesa, y ahora se dirige exclusivamente a él, tal vez porque es el único hombre y estas cuestiones trascendentes escapan al alcance de las mujeres. «La vida es una gran mentira, sí señor», repite. Pero no puede seguir, porque ha empezado una nueva partida, y Rosa chistea y protesta que así no puede concentrarse. A la mujer de negro con broche cualquier rumor le impide concentrarse –la ha oído quejarse hasta del tintineo de unas pulseras–, y, como la sabe demasiado lista y demasiado experta para olvidarse ni dormida de tachar un número, sólo puede necesitar tamaña concentración por creer, como todos los bingueros de raza, que su voluntad incide en la salida de las bolas, que depende de su esfuerzo personal, y del apoyo a veces de los compañeros, salmodiándolo al unísono en torno a la mesa, como en un rito vudú, que salga el 74, que es el que le falta para completar su cartón, y no el 82 o el 61 o el 13, que son los que les faltan a otros jugadores de la sala para completar los suyos. Todos aquí, menos él –por el momento, todavía menos él–, tienen una relación personal y apasionada con los números: números que odian, números que aman, que les son favorables u hostiles, que salen siempre o no salen jamás. Para los bingueros los números son seres dotados de carácter y de voluntad, y ora tratan de evocarlos y atraerlos con sus llamadas, ora suspiran resignados y admiten, con un punto de admiración y de respeto, y es una de las frases más oídas en la sala: «Los números hacen lo que quieren.» A lo que sólo se opone, cuando está presente, un muchacho al que llaman el «matemático», porque en lugar de tachar los números salidos los retiene en la memoria: «Estáis muy equivocados. El secreto no radica en los números, ni en las chicas que reparten los cartones, sino en las mesas. Si yo tuviera tiempo de hacer un estudio en serio, un estudio científico quiero decir, sabría exactamente dónde va a tocar el bingo cada vez.»

Y, por una de esas raras circunstancias que se dan en el bingo a altas horas de la madrugada («¿qué dirías, Ana, si supieras que ahora me paso todas las noches hasta la madrugada –y si no me quedo hasta más tarde es porque a las cuatro o a las cinco cierran y nos echan– en este bingo, jugando partida tras partida del juego que nos parecía el más tonto del mundo –tú odiabas además todos los juegos en que participara el dinero y te escandalizaban nuestras timbas de póker, a veces salvajes, entre amigos–, rodeado de un tipo de gente que no creí tratar jamás? ¿Lo entenderías? ¿Vendrías alguna vez conmigo?»), cuando termina la partida y el filósofo de medianoche vuelve a hablar, no sigue el hilo del discurso que empezara un rato antes con un prometedor «el mundo es una gran mentira», sino que da la réplica a lo que él ha estado meditando en silencio los últimos dos minutos: «En los números no manda nadie», dice. «Supongo que usted ya sabe que los números son mágicos y hacen siempre lo que les da la real gana. Ya puedes tenerle toda la ojeriza del mundo a un número, que, si se le antoja, igual te da el bingo.» Como a él no se le ocurre nada que objetar, y calla, prosigue su monólogo el filósofo de medianoche: «Los números son sagrados. Imposible que usted no lo supiera. Aunque quienes lo saben de veras son los chinos, que por algo inventaron el juego.» «¿Los chinos inventaron el bingo?», se sorprende el hombre. Y el otro se dispone a explicarlo, pero ahora es Celia la que le interrumpe: «¡Ya lo decía yo! ¡Cantan siempre! ¡Si tienes un grupo de chinos cerca, lo mejor que puedes hacer es irte a casa!» De modo que los chinos no sólo están hundiendo todas las industrias nacionales, sino que arrasan en el bingo...

«Señores, les anunciamos que las dos próximas partidas serán las últimas de hoy», han advertido por el micro, y él, que en los nueve o diez días que lleva jugando sólo ha cantado una línea, decide no cambiar otro billete de cien y jugar sólo un cartón con la moneda que le resta. Y empieza a tachar como siempre con cuidado los números –todos los jugadores los tachan de un modo distinto: Celia los emborrona con energía, casi con saña, Rosa traza delicados dibujos y cenefas, el filósofo de medianoche los enmarca antes de empezar y los cubre luego con una cruz, el matemático o deja el cartón en blanco o rodea de un círculo de puntos minúsculos los números de los que han cantado el inmediatamente anterior o el inmediatamente posterior, él se limita a trazar una línea desde el ángulo inferior izquierdo hasta el superior derecho–, sin prisa y sin poner demasiada atención, porque no ha comenzado bien, y, cuando alguien canta línea, sólo lleva dos números, y después marca otros ocho, pero vuelve a parar de nuevo y van ya por la bola sesenta, de modo que casi ha decidido dejar de tachar y ha apartado el cartón a un extremo de la mesa, cuando salen uno tras otro, sin interrupción, los cinco números que le faltan. Tan rápido todo y tan inesperado que tiene miedo de haberse equivocado y de que su bingo no sea correcto. Pero lo canta y lo dan por bueno y colocan sobre la mesa el feo armatoste de metal dorado que llaman palo, y una de las muchachas de rojo, casualmente la que él prefiere, avanza decidida, agitando a sus espaldas de un lado a otro la espesa melena de negros

50

rizos, y le trae en una bandejita el dinero, que no es mucho, porque a estas horas quedan pocos jugadores y se venden pocos cartones. «¡Enhorabuena!», le dice.

«Ni por lo más remoto creí que iba a ganar», comenta el hombre a los que están con él, tras regalarles cuatro cartones a cada uno (ellos le dan las gracias, y responden con la frase ritual: «que se los podamos devolver», tan obligada como desear buena suerte a los que se quedan en la mesa cuando tú te levantas y te vas). «Ya le dije que los números son mágicos y hacen lo que ellos quieren», se regocija el filósofo de medianoche. «Muy mágicos tienen que ser», interviene Celia, comiéndose la última cucharada de helado, tranquila ya, pues, según sus cálculos, la mujer que juega en el ordenador ha perdido hasta el último euro que había ganado y a lo mejor incluso más, «porque los tres últimos terminaban en cero y ésos, cuando quedan para el final, no salen nunca.» «Pues ya lo ve, esta vez sí han salido», replica Rosa.

Empieza, anuncian por el micro, la última partida de la noche, con cartones a cuatro euros (el doble de lo habitual) y con el premio adicional de «prima», si cantas antes de la bola sesenta. En esta ocasión no hay dudas ni paradas ni sorpresa final. Los números de su único cartón, porque ha decidido volver a jugar sólo uno, van saliendo de modo regular y casi consecutivo; canta

51

línea a la bola once, y luego bingo a la cuarenta y seis. Y esta vez es un premio bueno, seguramente uno de los más altos del día, tanto quizás como el de la mujer del ordenador que después lo ha ido perdiendo todo.

Los jugadores que quedan en la sala le lanzan una mirada de despecho –¡vaya falta de consideración llevarse la prima a la primera!, ¡y qué desfachatez hacerlo en sólo cuarenta y seis bolas y jugando un único cartón!–, antes de precipitarse a toda prisa hacia las puertas de salida para librar la última competición de la jornada –la denodada lucha por un taxi–, y hasta la voz del micro refleja cierto pesar, o eso le parece a él, cuando anuncia que el bingo es correcto y que se lleva además la prima.

Pero Rosa está exultante, contentísima –acaso más que si fuera ella la ganadora–, y toma en el acto el mando de la situación. Cuenta los billetes y aparta las propinas: para la chica que le vendió el cartón, para la que le ha traído el dinero, para los dos camareros que les atienden, para la empleada que vende tabaco y golosinas. «Déles esto», le indica. «Total a usted le da lo mismo, y ellos se pondrán contentísimos.» «A usted le da lo mismo», entiende el hombre, significa «usted no lo necesita para nada». No sabe cómo ha llegado ella a esta conclusión, pero es la pura verdad. Y por algún extraño motivo –tal vez mera intuición– la

52

mujer lo sabe. De modo que no hace el menor comentario, coge sin siquiera mirarlo el dinero que le tiende y lo pasa a las personas que le indica. Después Rosa le obliga a meterse el resto de los billetes en el bolsillo interior de la americana –«y procure coger un taxi en la misma puerta»–, se despide y desaparece en el lavabo de señoras.

«Hay todavía bastante dinero en el fajo que me he guardado en el bolsillo», piensa el hombre vacío de deseos, «pero, a juzgar por el modo en que todos me han dado las gracias, las propinas deben de haber sido muy superiores a lo habitual.» Y eso, al hombre que se aburre, le divierte un poco. Lo que no imagina es que a partir de esta noche ha pasado al círculo de los íntimos y ha sido admitido en algo que es, para muchos, más que una sala de juegos.

6

A partir de la tarde siguiente las chicas que distribuyen los cartones le dedicarán sus mejores sonrisas y le llamarán «cariño», los empleados le palmearán la espalda y los camareros decidirán que invita la casa a la mayor parte de copas, que él compensará con propinas que a veces teme ridículas por lo desmesuradas, pero, además, a partir de entonces no parará de ganar. Sigue jugando, como el primer día, una serie de seis cartones en cada partida, y no tiene la menor intención de pasar a los ordenadores –que le permitirían jugar varias, todas las series que quisiera, a la vez–, no sólo porque sus nuevos amigos lo considerarían una traición en esa lucha enconada y desigual entre los jugadores de ordenador y los jugadores manuales, sino porque aquello que le divierte (porque el hombre vacío de deseos, el hombre que ha perdido el interés por su trabajo, por el arte, por las mujeres, el hombre al que le trae sin cuidado que se doblen los beneficios del despacho o que hablen bien los críticos de sus cuadros, tiene que admitir, y él es el primer sorprendido, que le divierte cantar en el bingo, tal vez porque Rosa, y el filósofo de medianoche, y el matemático –que asegura va a tener que reconsiderar su teoría sobre la importancia de las mesas en los resultados del juego–, y sus vendedoras favoritas de cartones –Maite, la de la mata de rizos negros y las largas piernas, y Araceli, una rubita que siempre está de buen humor y tiene para todos una palabra cariñosa– le jalean con entusiasmo), aquello que le divierte es esperar a que la voz anuncie voluptuosa, a altas horas de la madrugada casi lúbrica, los números, e irlos tachando por su propia mano en el cartón. Pero aun así, jugando sólo una serie cada vez, sus seis cartones le bastan para llevarse una enormidad de líneas y de bingos. El famoso cincuenta y dos por ciento no es, visto su propio caso, determinante, ya que unos jugadores tienen más suerte que otros y la ley de probabilidades sólo es válida si se aplica a un número infinito de casos. Aunque piensa también que esta racha inusitada de suerte, que dura ya tres semanas, terminará en cualquier momento, sin que haga falta recurrir a un número infinito de partidas para demostrarlo, y que él no lo lamentará demasiado, pues una cosa es que le divierta ganar y otra muy distinta que realmente le importe. Intuye incluso que esta insólita pasión por el bingo puede morir de forma tan repentina como nació. O tal vez no, cualquiera sabe.

Hoy ha llegado antes de lo habitual, antes incluso de que empiece el juego, porque Adela, que —es una de las cualidades que la convierten en la esposa casi perfecta— es congénitamente incapaz de montar una escena, y aceptó desde hace mucho sus aventuras, en realidad desde antes de que empezaran a vivir juntos, se casaran, tuvieran dos hijos (nunca ha acabado de entender por qué una mujer todavía joven y hermosa, encantadora, con cantidad de amigos y con una gran fortuna, accedió a casarse con un tipo como él, raro, caprichoso, a ratos depresivo, en ocasiones despótico e injusto, con frecuencia infiel, y que para colmo nunca se mostró demasiado cariñoso ni dijo que la amara; forzosamente tuvo que estar de él en algún momento, por más que lo ocultara tras sus maneras frías y educadas de gran señora, perdidamente enamorada, y esto, lejos de complacerle o halagarle, le hace sentirse incómodo y culposo), se ha lamentado durante el almuerzo: «No me importa demasiado que haya otra mujer, sé que ha habido muchas, pero ninguna alteró tu relación conmigo ni con nuestros hijos, y lo que no puedo aceptar es que en esta ocasión alguien cambie así nuestra forma de vida y haga que me descuides hasta este punto.» Y él no se ha animado a responder la verdad, a decir: «No se trata de eso. Hace bastante tiempo que no hay otra mujer. Lo que ocurre es que paso las tardes y las noches en un bingo», porque Adela no le hubiera creído y, caso de lograr convencerla de que decía la verdad, no tenía ella imaginación suficiente, aun sabiendo que había en él un ludópata en potencia (lo sabían los dos), para entender tamaño disparate, a menos que arguyera él, y no se le ha ocurrido a tiempo, que su relación con el bingo obedece a razones profesionales, a los intereses, por ejemplo, de un cliente.

De modo que ha optado por limitarse a asegurar que no existía otra mujer (de existir otra mujer, piensa y no lo dice, se trataría sólo del fantasma de una muchacha a la que amó hace un millón de años y que creyó haber relegado al más profundo de los olvidos), simplemente está él pasando por un momento extraño, quizás la crisis de los sesenta, que le ha hecho tomar conciencia por primera vez de que la juventud y la madurez quedan definitivamente atrás, pero seguro que, como todas las crisis anteriores, también ésta se resolverá. Y se ha marchado sin dar tiempo a que Adela intente profundizar en la cuestión, o empiece a argumentar que el tiempo pasa para todos, ya se sabe, ella también ha envejecido, es ley

de vida, sin darle tiempo a decir la suprema ma-
jadería, que le saca de quicio cuando la oye, de
que cada edad tiene sus ventajas, sus cosas buenas, pues ¿qué diablo de ventajas puede tener
para nadie la vejez?

Está sentado, por lo tanto, a su mesa habitual
antes de que haya llegado ninguno de sus amigos,
sin pedir todavía cartones –que empiezan recién
ahora a distribuir entre los escasos clientes, atraí-
dos en su mayor parte, más que por el juego, por
el bajo precio y aceptable calidad del menú, muy
distinto el público del bingo según las horas del
día–, porque prefiere sorber antes tranquilamente el carajillo que no ha tomado en casa y hojear
el periódico que acaba de comprar en el kiosco de
la esquina, más que para leerlo para parapetarse
tras él y pensar tranquilamente en Ana, sin que
nadie le moleste ni interrumpa, porque pensar en
Ana, como jugar al bingo, se ha convertido estos
últimos días en una adicción absurda, un vicio secreto, al que se entrega deliberadamente y con
morboso deleite.

(«La primera vez que pudimos pasar la noche
entera juntos –no como en casa de mis padres las
rarísimas ocasiones en que no había nadie, o
cuando de madrugada podía deslizarme un rato
en la habitación de invitados y meterme en tu
cama, ni como en la residencia de estudiantes,
siempre con el temor de que fuera a entrar al-

58

guien de repente, sino acostándonos juntos por la noche y despertando uno al lado del otro por la mañana; habías dicho tú, Ana enamorada, Ana en éxtasis, Ana embriagada de felicidad: "¿No te parece maravilloso pensar que nos despertaremos el uno al lado del otro durante el resto de nuestras vidas?", y había respondido yo que sí, y te juro que en aquellos momentos no mentía— fue en Granada. Habíamos ido para un escueto fin de semana, nuestra primera escapada juntos, creo que ni siquiera se lo habías dicho a tus padres, y cayó de repente una intensísima nevada, que paralizó medio país e hizo que nos quedáramos allí varados –tal vez deliberadamente varados, tal vez la nieve fue un pretexto y hubiéramos encontrado de proponérnoslo un modo de volver a casa– días y más días. De todos los momentos de nuestra mágica historia creo que éste fue el más mágico. La ciudad había quedado silenciosa y casi desierta bajo un tupido manto blanco; se había helado el agua de las fuentes; el peso de la nieve estremecía en el Generalife las ramas de los árboles, sin lograr disfrazarlos de abetos nórdicos: me recordaban los belenes de mi infancia, cuyo paisaje meridional cubríamos los niños con entusiasmo de níveos copos de harina; la Alhambra, más misteriosa y secreta que nunca, bellísima hasta hacer que los ojos se nos llenaran de lágrimas, solos allí tú y yo, únicos visitantes, con las narices enrojecidas, acurrucándote tú a cada momento friolera entre mis brazos, besándonos en los rincones de todas las estancias y de todos los patios. Por la noche, en el sencillo hotel donde nos habían dado habitación sin que acreditáramos estar casados pero donde no había calefacción, nos metíamos en una de las dos camas gemelas, sobre la que habíamos amontonado las mantas y las colchas de ambas y nuestros abrigos, y nos amábamos sin tregua, con una pasión y una ternura y una devoción infinitas. ¿Recuerdas, Ana, que a lo largo de toda la noche oíamos la radio que tenía puesta algún vecino insomne, y que se encendía y apagaba alternativamente en el techo, sobre nuestros cuerpos entrelazados, el reflejo rojo de un anuncio luminoso?»)

Se ha resguardado tras un periódico, que simula leer y que no lee, para pensar tranquilamente y sin interrupciones en Ana, al menos hasta que llegue alguien conocido, pero es una muchacha joven y atractiva, alta, con la piel tostada por el sol, el cabello rubio recogido en una cola de caballo, el cuerpo fuerte y flexible de quien practica asiduamente un deporte o va todos los días al gimnasio, tal vez un poco demasiado llamativa para los gustos un tanto conservadores del hombre, porque hay cierta provocación en su modo de andar, un balanceo, un contoneo que quizás haya aprendido de las mujeres fatales de los viejos thrillers en blanco y negro, y es –o se lo parece a él– excesivo el escote de la blusa, que deja en buena parte al descubierto unos pechos bonitos, de los que se hace difícil apartar la mirada, es una muchacha a la que no recuerda haber visto nunca la que se acerca y le pide permiso para sentarse a su lado, y, como él asiente pero la mira sorprendido, porque está el local casi vacío y todas las mesas de alrededor disponibles, rompe a reír y le tranquiliza: «No te alarmes. Sólo pretendo hablar un momento contigo de tu buena suerte.» «¿También tú crees que hay métodos para ganar? ¿Que dispongo de algún sistema especial? ¿Que no depende todo del puro azar?», dice el hombre, apartando el periódico a un lado. Y la muchacha se encoge de hombros: «Nunca había visto a nadie cantar tantos bingos seguidos.» «Yo soy el primer sorprendido», explica él. «Sólo había pisado un bingo una vez en mi vida, sabes. Me metí aquí por casualidad. Hacía calor, no encontré cerca ningún bar y me apetecía tomarme un par de cervezas. Me pareció un buen lugar para estar solo y tranquilo.» «¿Solo? ¿Solo en un bingo? No será en éste.» «Me refería a no tener a mi alrededor gente conocida, a estar solo entre extraños.»

La muchacha junta las manos, extiende hasta el límite los brazos al frente, en una suerte de disimulado desperezo, bosteza sin disimulo, entrecruza las piernas, balancea el pie que queda suspendido en el aire. «¡Si supieras lo que me aburre a mí esto! Estoy todo el tiempo deseando terminar y largarme», se lamenta. «¿Trabajas aquí? Me parece que nunca te he visto», dice él, y añade, porque le parece obligado el cumplido, pero sintiéndose al mismo tiempo ridículo: «Y no eres precisamente una mujer que pase inadvertida.» La chica no parece haber oído el halago, o lo toma, piensa él, por lo que es, un cumplido forzado, una de esas tonterías que los hombres se creen obligados a decir a las mujeres, y le hace el favor –quizás porque canta tantos bingos– de pasarlo por alto. «No trabajo de cara al público», responde a la pregunta inicial. «Al empezar estuve unos meses cantando números y distribuyendo cartones, pero enseguida vieron que era espabilada y me pasaron a administración. Primero me ocupé de comprar esa birria de regalos que dan a los clientes. Era divertido. Andaba todo el día por la calle, buscando saldos, regateando con chinos, recorriendo mercadillos. Pero me volvieron a ascender. Ahora soy secretaria del gran jefe y me aburro a morir. Claro que él está encantado conmigo... Dice que soy su mano derecha», comenta con sorna, y añade: «A los empleados no nos está permitido jugar, o sea que, ya ves, mi curiosidad por tu racha de buena suerte era totalmente desinteresada. De hecho tampoco nos está permitido alternar con los clientes. O sea que no debería estar sentada aquí contigo», concluye, justo en el instante en que empieza el hombre a preguntarle si ha almorzado ya, si le apetece tomar algo. «Quizás otro día, en otro sitio», dice ella. Se levanta aprisa y se aleja con un andar sinuoso, de chica mala de película de serie C, mientras él repara en su bonito trasero respingón, y Rosa –que ha llegado sin que la oyeran y se ha despojado del abrigo y del bolso– rezonga en voz baja, pero no tan baja como para asegurarse de que la otra no la oye, porque es obvio que le trae sin cuidado que la oiga o no: «Ten cuidado con Natcha. Es una chica muy lista, sabe un montón de cosas, sólo trabaja aquí para pagarse la universidad, y no creas que estudia cualquier cosa, creo que está en tercero de Medicina, pero a mí no me gusta, es una lagarta, una mala pécora», y suena simultáneamente la voz por el micrófono: «Atención, señoras y señores, comenzamos.»

7

La noche anterior ha soñado –y hacía mucho que no ocurría– con Ana. No una Ana envejecida, sino Ana tal como era entonces, joven y bonita, con el vestido de cuadraditos blancos y azules y los pendientes de ámbar. Ana le miraba sin un parpadeo, una leve sonrisa en los labios, y le decía con naturalidad, como si se tratara de una constatación banal: «Ahora que ya no creemos en el amor, ni en el arte, ni en la revolución...» Y ha despertado angustiado, el corazón latiéndole enloquecido –esas palpitaciones que el cardiólogo asegura no revisten gravedad–, la boca seca y amarga, preguntándose qué significado tiene el sueño, preguntándose qué sentido tendría la vida en un mundo donde Ana –que la perdiera él carece de importancia, quizás no la tuvo nunca más que de prestado, quizás bastaba la de ella para los dos– hubiera perdido la fe en el amor y en el arte y en la revolución. Aunque se trata, piensa mientras abre la tercera cerveza y apaga otro cigarrillo en el cenicero ya lleno de colillas –tal vez el último resto de su inconformismo, de su rechazo al sistema, su única militancia, sea su obstinación en fumar cada vez más y más ostensiblemente, a medida que se hace más fanática y represora la oposición al tabaco–, sólo de un sueño, que no tiene por qué coincidir con la realidad. Durante unos años tuvo noticias de las actividades políticas de Ana, de su brillante carrera académica, supo, por los amigos, que vivía en pareja con un científico de renombre, pero luego, seguramente por falta de interés, perdió su pista. Ni siquiera sabe si reside todavía en esta misma ciudad. Igual está colaborando con una ONG en algún país del Tercer Mundo, o impartiendo clases en una universidad norteamericana, y es muy posible que siga creyendo al menos en una de las tres cosas por las que pensaban merecía la pena vivir. («No quiero saberlo, Ana, creo que no me gustaría volver a verte. Prefiero mantener la imagen de ti que conservo en el recuerdo, o que tal vez estoy en parte inventando. Símbolo y referencia de mi juventud perdida.»)

¡Qué raro es esto de la juventud perdida, qué extraño que haya pasado el tiempo, toda una vida, que las cosas fueran y ahora ya no sean y

65

uno no pueda regresar a ellas, cuando parecería tan sencillo volver atrás! Estamos llenos de proyectos ambiciosos, pletóricos de ideas brillantes, ansiosos por llegar a alguna parte, algunos muy arriba, y de repente un día descubrimos atónitos y escandalizados que la mayor parte de nuestros amigos se ha jubilado ya o está a punto de jubilarse, que los proyectos han llegado hasta donde han llegado y no irán más allá, que parte de las ideas, menos brillantes casi siempre de lo que suponíamos, se ha realizado, y el resto ha caído en el olvido, y que no habrá sobre todo ideas nuevas, te das cuenta de que está empezando a caer el telón, una caída que puede ser muy lenta, sobre todo si no bebes, ni fumas, ni trasnochas, si haces ejercicio y cuidas el peso y la alimentación, como propugnan fanáticos esos partidarios de prolongar la vida propia y la de los demás a toda costa, y ganas dan de preguntarles por qué, visto cómo la emplean y lo poco y mal que disfrutan de ella —¿quién dijo que prefería añadirles vida a los años que años a la vida?—, preguntarles para qué sirve esa prórroga en el corredor de la muerte, sin perspectivas ya de futuro, con la certeza de que cada día será peor que el anterior, perdiendo uno tras otro a los amigos, cada vez más solos, adquiriendo la creciente certeza de que toda existencia humana es en el fondo y como resultado final un fracaso. No anda descaminado el filósofo de medianoche cuando predica que la vida es una gran mentira, mucho más acertado en cualquier caso que esos tipos empecinados en el obsceno empeño de mantenerse jóvenes cuando la juventud ha terminado y de vivir el máximo tiempo posible, obstinados además en ganar adeptos para su causa y convertir el mundo en un reducto de ancianos achacosos y decrépitos, aquejados de parkinson o alzheimer, pero abstemios, flacos, no fumadores, inmunes a cualquier vicio o adicción. Bien, piensa el hombre –que tiene hoy, quizás porque el sueño con Ana le ha puesto de mal humor, un talante sombrío y agresivo, una imagen más patética del mundo de lo que en él es habitual–, por los bingueros de altas horas de la madrugada, que consumen una copa tras otra, llenan los ceniceros, intentan cogerles la mano o tocarles el culo a las chicas que reparten los cartones –ellas les esquivan, pero con una sonrisa o una frase amable–, hablan a gritos de mesa a mesa en un lenguaje obsceno que escandalizaría a las señoras que juegan por las tardes, aseguran al terminar cada partida que van a dejarlo ya, pero son incapaces, y lo saben, de marcharse, que no creen ni han creído nunca en el arte ni en la revolución (acaso sí en el amor; al menos las mujeres, al menos en la juventud, acaso sí en el amor), pero que alcanzan el cielo con las manos cuando cantan «¡bingo!», y recorren la sala repartiendo abrazos y cartones, porque son generosos y amigos de sus amigos los bingueros de altas horas de la madrugada.

«Esta noche he soñado con una muchacha de la que estuve muy enamorado cuando era joven», le cuenta a Rosa, que es una oyente perfecta, capaz de interesarse por todo y de entenderlo todo, y que ahora pregunta: «¿Tu primer amor?» Y él reflexiona unos instantes y responde que sí, que fue su primer amor completo y real, muy distinto de los enamoramientos y ligues anteriores. «¿Y qué pasó?», sigue inquiriendo Rosa. Y el hombre se encoge de hombros: «No sé. Lo nuestro duró dos años, aunque nunca llegamos a vivir juntos, y luego terminó. Terminó del peor modo. Supongo que no estuve a la altura, ni de ella ni de las circunstancias. Quizás yo era demasiado joven. De todos modos, ningún amor dura para siempre. No me imagino pasando la vida entera al lado de la misma mujer.»

«No sólo la vida, sino también el amor es una gran mentira», tercia el filósofo de medianoche, que creían dormido y no lo estaba tanto, y tiene esos bruscos despertares, como el lirón de la merienda de no cumpleaños. Y el matemático (le sorprende al hombre que, además de entender de números y establecer teorías sobre la relación que media en el bingo entre la suerte y la disposición de las mesas, lea poesía) susurra con ironía: «A veces, sólo a veces, dura toda una vida.» Y Celia –la gorda de los preciosos ojos verdes, a quien tomó al principio por una mujer sola, por una solterona amargada, y a la que por el contrario recoge todas las madrugadas un marido cariñoso y atentísimo, al que ella se permite tratar ante todos a patadas–, que parecía atenta sólo al cuarto helado de la noche pero también estaba por lo visto pendiente de la conversación, añade desdeñosa: «Ya se sabe. Los hombres sois todos iguales.» «¿Unos canallas?», inquiere con sorna el filósofo. Y ella, acentuando su desdén, antipática con avaricia: «Más o menos.»

A estas horas hay más hombres que mujeres en el bingo, y casi todos juegan en solitario. Faltan pocas bolas para terminar una partida cuando un tipo de larga melena lacia y piel cetrina empieza a musitar ansioso y enfervorizado: «el dieciséis, el dieciséis, el dieciséis». No sale el dieciséis, y entonces otro hombre, que tampoco ha cantado, empieza a reír a carcajadas; ríe largo rato, no del que quería el dieciséis, sino seguramente de sí mismo, de la jugarreta increíble que le han jugado los números de sus propios cartones. Y una mulata cubana que anda siempre canturreando conjuros y pidiendo prestado un dinero que no devuelve y metiéndose en la intimidad de los demás –al hombre le ha preguntado si todavía folla, si se le levanta, y se empeña, cualquiera sabe por

69

qué, en que tiene una amante en Lérida, y a la rubia devoradora de helados, que la escucha impávida, le insiste en que debe hacerse depilar los pelillos que le rodean los labios–, se sienta al lado de Rosa y dice: «Yo sé que esto no resultará bien.» Y cuando le preguntan a qué se refiere: «Al embarazo. El de Letizia, claro, el de la princesa. Yo tengo premoniciones, sabéis. Desde niña. Nací con la estrella de David en la piel. ¿La veis?» Se quita casi por entero la blusa y les muestra el pecho y los brazos, y ellos asienten aunque ninguno ve nada y lo único que quieren es que cubra de nuevo cuanto antes su carne morena y algo sudada.

Al hombre le escuecen los ojos a causa del humo de los cigarrillos fumados en la sala durante más de doce horas. En casi todas las mesas aún ocupadas arden los cartones enrollados en los ceniceros: se mantienen en pie hasta el final, disminuyendo de tamaño, hasta que los números se leen diáfanos pero diminutos. Le queda la mirada prendida en ellos, como en la chimenea de la biblioteca de sus padres, fascinado siempre por la belleza cambiante y remotamente amenazadora del fuego y de la mar.

«Mañana, o sea hoy, porque ha pasado ya la medianoche, cumplo sesenta años», confiesa de repente sin saber por qué. Y Rosa se sobresalta: «¿Es tu cumpleaños y estás aquí solo y sin celebrarlo?» «Mañana lo celebraré en una comida familiar», dice él, y le invade una enorme pereza al pensar en la mesa con manteles de hilo, cubiertos de plata, vajilla de porcelana inglesa, en el menú de todos los aniversarios, en los hijos tan satisfechos los dos de sí mismos, en las nueras endomingadas, en los niños armando bulla y revolviéndolo todo, al pensar que no podrá escaparse y venir al bingo hasta el anochecer. Pero Rosa se ha puesto en pie de guerra. «¡Esto no puede ser! ¡Si es tu cumpleaños hay que celebrarlo ya! ¡Yo invito!» «¡Sobre todo habría que celebrarlo si se tratara de sesenta y nueve!», bromea la mulata. Rosa llama a los camareros, que aseguran no disponer de tartas de cumpleaños ni de velas, insiste, recurre al jefe de sala. Por fin le traen un montón de dulces y porciones de pastel con los que monta una tarta monumental, y surgen de alguna parte –le parece que las tenía la chica que vende caramelos y tabaco y se ocupa de los lavabos– unas velas de grosor normal, de esas que se utilizan en las casas cuando se va la luz, que no son las adecuadas, claro, pero sirven lo mismo. Rosa ensarta las falsas velas de cumpleaños –no sesenta, sino muchísimas menos– en la falsa tarta de cumpleaños, y las prende, y los bingueros de las mesas más próximas se suman a la celebración, encienden sus encendedores, entonan «cumpleaños feliz». El hombre sopla las velas, da las gracias, reparte los dulces, los invita a todos a una copa de cava, mientras piensa que ésta es la fiesta de cumpleaños más rara de su vida, más inesperada.

Como inesperado es también el final, porque Natcha, la presunta mala pécora, ha dejado la oficina y se ha unido a la celebración –él no sabe en qué momento, tal vez acompañando a la chica que ha traído las velas–, ha logrado sentarse a su lado, desplazando a Rosa, y, con el rostro impasible, le ha colocado una mano entre las piernas. Y luego, cuando termina la sesión y todos se encaminan juntos hacia la salida, le coge por el brazo –ante la mirada de desaprobación de Rosa, que no se atreve, sin embargo, a intervenir–, le conduce, le arrastra casi, hasta un despacho diminuto, lleno de archivadores y objetos de regalo, le abre la bragueta, y el hombre siente la presión de sus labios, el roce de su lengua, alrededor de su sexo, y es inútil que intente modificar la posición, hacer que ella se levante, apoyarla contra la pared o tumbarla en el suelo, para poder penetrarla o por lo menos devolverle las caricias. De modo que se resiste unos momentos y luego cede, por curiosidad, o porque le divierte lo disparatado de la situación, o porque la chica es hábil y está haciendo un buen trabajo. Y cuando termina y él le pregunta: «¿Por qué has hecho esto?», ella, que se ha puesto finalmente en pie, le da un beso cariñoso y formal en la mejilla: «Porque me ha apetecido, y porque es mi regalo de cumpleaños, ¿no te ha gustado?», y él: «A mí sí, pero ¿y tú? Vayamos a mi estudio, a un hotel, donde tú quieras, para poder seguir», y ella riendo: «No», y el hombre: «¿Por qué no?», y la muchacha: «Porque no se devuelven los regalos de cumpleaños. Al menos, no el mismo día.»

8

«¿Y qué pasó?», ha preguntado Rosa. Y el hombre, sorprendido por lo directo de la pregunta, duda un momento y luego opta por decir la verdad: «Fue lo más parecido a una violación que he vivido jamás. Tiene gracia que un viejo sea violado la noche de su sesenta cumpleaños. Yo creí que ese tipo de aventuras se reservaba a los adolescentes.» «No me refería a eso», protesta Rosa. «No soy tan indiscreta. Te preguntaba qué pasó con tu primer amor del que me estabas hablando por la tarde, cuando nos interrumpieron. Pero ya que tú me cuentas lo de anoche, siento curiosidad por saber si Natcha se salió con la suya. ¿Te gustó?» El hombre ha estado dando vueltas a esa cuestión durante las horas que le restaban a la noche cuando regresó a casa, después de acompañar a la chica hasta la suya, y ha concluido que no. Lo

que no sabe con certeza es si su insatisfacción
nace de cierta ternura que le hace necesario estar
cerca del otro para gozar plenamente, de la gene-
rosidad que le impulsa a querer proporcionarle
también su parte de placer, o al velado machismo
de dar por sentado que es el varón quien dirige el
juego y que no debe en modo alguno dejar de ser
sujeto actuante para convertirse en objeto pasivo,
un juguete inerte, manipulado a su antojo por
una mujer, para colmo casi desconocida y con la
que no ha vivido experiencia anterior alguna. Sería distinto, reconoce, si el proceder de la chica
no hubiera obedecido a su propia iniciativa, sino
a que él, por un raro capricho, le hubiera pedido
que hiciera lo que hizo.

Responde, pues, con un escueto no, y, para
evitar que surjan más preguntas sobre lo acconteci-
do la noche anterior, pasa rápidamente a la otra
cuestión, y afirma que no lo sabe, que la historia
terminó, que de hecho ningún amor dura para
siempre. Pero sí sabe, aunque no quiera reconocerlo, lo que ocurrió, y que el final, al menos tal
como se produjo, no era inevitable. Quizás esté
tratando de justificarse cuando le asegura a Rosa
que ningún amor –se refiere, claro, al amor pasión,
al enamoramiento, a esa calentura de la carne y del
alma que nos acomete como una enfermedad–
dura para siempre (aunque diga el matemático, en
tono de sorna y citando a una poeta que precisa-

mente a Ana le gustaba mucho, que «a veces, sólo a veces, dura toda la vida»), quizás no sea, claro, una regla universal, seguro que no se puede generalizar, lo único cierto es que él, transcurridos dos años en que el mundo entero se reducía a una mujer, tuvo que admitir ante sí mismo que algo había cambiado.

(«Te quería mucho, Ana, me asustaba perderte, presentía que no iba a encontrar a otra como tú —no la he encontrado, sabes, ha habido muchas, acaso demasiadas, y, sin embargo, ninguna ha resistido la comparación, con ninguna me he sentido tan feliz ni he compartido tantas cosas, ninguna ha sabido, o ha querido, impulsarme hacia donde, aun sin confesarlo, yo en el fondo deseaba ir: no puedo dejar de pensar que, caso de seguir a tu lado, me hubieras animado tal vez a jugar más fuerte, a asumir el riesgo del fracaso, y habría llegado tal vez a ser un pintor de verdad, mejor o peor, pero entregado en cuerpo y alma a sus cuadros, no un diletante, un aficionado, que se consagra a una profesión segura y lucrativa y en cierto modo prestigiosa y emborrona telas en sus ratos libres–, pero la pasión arrolladora y total de los primeros tiempos se había desvanecido.

Fue muy doloroso descubrir que ya no estaba enamorado, porque era mi primera experiencia y no sabía todavía que el enamoramiento –al menos en mí– tiene ya cuando nace una fecha asignada de caducidad. Creo que te hice incluso responsable, como si radicara en ti la causa de mi desamor y eludiera de ese modo tener que reconocerme culpable. En algunos momentos llegué casi a odiarte por no amarte lo suficiente, por no amarte todo, y porque esa carencia me hacía sentirme un miserable. Llegué a odiarte también porque tú seguías siendo la de siempre, sorprendentemente ajena por un tiempo, que se me hizo interminable, a lo que se cernía sobre nosotros, sobre los dos, y a mí me parecía entonces una catástrofe. Me irritaban tu inocencia, tu credulidad, tu fe ciega en mí, porque me obligaban a engañarte y a tejer a nuestro alrededor un velo cada vez más tupido y sucio de mentiras. Y me enfureció –contra toda razón, en el colmo de la injusticia– verte luego, cuando sospechaste por fin que algo ocurría, sufrir con ese dolor de los animales o de los niños, que nos miran atónitos y no entienden y no son capaces de defenderse –doblemente inermes porque nos pertenecen y porque dependen de nosotros para todo y porque nos aman.

Tú no preguntabas nada. Sólo me mirabas –con esos ojos de animal o de niño maltratado, no con los ojos chispeantes de la mujer entera y fuerte que yo conocía, nada que ver con la muchacha que intervenía rotunda y convincente en los debates del partido o lanzaba proclamas incendiarias

77

encaramada a un banco del patio de Letras, estuviera o no la policía a las puertas, la muchacha que tenía soluciones para todo y no se arredraba ante nada– a la espera de una explicación que yo no atinaba a darte. ¿Qué podía decirte? "¿Te quiero mucho, Ana, pero has dejado de ser el objeto único de mis pensamientos, he superado esa obsesión, he sanado de esa enfermedad en que consiste estar enamorado, vuelvo a interesarme por otras gentes, por otras cosas, no necesito tenerte a todas horas al alcance de mi voz y de mis manos?" No, eso no bastaba, habría que añadir algo más: "Ya no eres para mí la única mujer que existe sobre la faz de la tierra. El mundo vuelve a estar lleno de mujeres." Ahí radicaba la gravedad de lo que ocurría y eso era lo que no me atrevía a decirte, porque temía que, pese a nuestra teórica defensa del amor libre, no ibas a aceptarlo.

El mundo estaba lleno de mujeres, y a mí se me iban los ojos tras ellas, y en algunos momentos me parecía que me gustaban todas, que las deseaba a todas. Como si al emerger del ensimismamiento de mi amor por ti me hubiera acometido una fiebre salvaje de amor universal. Y repito que, sin embargo, no quería perderte, Ana, tal vez sea difícil de entender, tal vez ni yo mismo lo entendiera, pero te juro que no quería perderte. El mundo podía estar lleno de mujeres, pero me costaba concebir un mundo en que tú no estuvieras a mi lado, y en el que, soltado de tu mano, me parecía iba a extraviarme sin remedio.»)

«¿Muchas mujeres en tu vida?», pregunta Rosa un rato después, como si hubiera adivinado una vez más el curso de sus pensamientos. Y, como él sigue guardando silencio, añade: «Se nota que eres hombre de muchas mujeres. Se nota que te gustan, y tú también has tenido que gustarles, tienes que gustarles todavía ahora, aunque coquetees repitiendo que eres un viejo.» («Me encantan las mujeres. Soy más feminista que todas vosotras juntas», le decía el hombre a Ana para hacerla rabiar, y a ella la sacaba de quicio y picaba siempre: «¿Qué es eso de que os encantan las mujeres? A uno le encantan los marrons glacé, o los coches deportivos, o las películas del Oeste... No puedes decir en ese tono frívolo que a ti te encantan las mujeres. Aunque es cierto», reconocía, «que eres uno de los pocos hombres a los que os gustamos de verdad, no sólo para ligar.»)

«Sí ha habido muchas mujeres, quizás demasiadas», responde el hombre por fin, y luego, en un arranque, sorprendido por sus propias palabras, preguntándose por qué demonios le está haciendo esas confidencias a una mujer casi desconocida en un bingo a las tres de la madrugada, «y lo curioso es que yo, que me he enamorado tantas veces, antes y después del matrimonio, lleve treinta años casado con una mujer de la que propia-

79

mente enamorado no lo estuve nunca, y es más curioso todavía que en ningún momento me haya arrepentido. Cosas extrañas que tiene la vida.» Piensa que seguramente le cuenta esto porque son las tres de la madrugada y porque Rosa no es ya una desconocida, sino alguien a quien está cobrando auténtico cariño y que parece capaz de entenderlo todo.

A estas horas, los días que no son víspera de fiesta queda poca gente, los premios son bajos, las partidas se arrastran perezosas, mucho más lentas, los empleados se demoran, hablan entre sí o con los clientes habituales, bostezan, bromean, se aburren. Sólo el filósofo de medianoche, que dormitaba como de costumbre sobre la mesa, se anima de repente, porque se ha acercado Arturo, para preguntarle, entre obsequioso y burlón –como si los demás no existieran o como si no fuera casi siempre el hombre quien encarga y paga las copas para todos–, si no le apetece al señor una última cerveza, y el señor dice que no se moleste, que deben de estar cerrando ya el servicio de bar. «Para ti el bar no cierra nunca, guapísimo», dice Arturo con una sonrisa radiante. Arturo es el más joven de los camareros, no aparenta siquiera la edad mínima que se requiere para el trabajo. Es un chiquito malagueño, cetrino y juncal, los ojos como dos soles negros, el cabello rizoso, oscuro y aceitado, y un desparpajo que se desliza a menudo y con facilidad extrema hacia la desfachatez y la insolencia. Atiende de modo desigual a los clientes. Y les sirve lo que le parece –ni se molesta en anotar el pedido en el bloc que, eso sí, lleva siempre en la mano– y cuando se acuerda o le viene en gana. A Celia la saca de sus casillas, y ha movido cielo y tierra para que lo despidan, pero el chico es simpático y espabilado, cuando quiere hace bien su trabajo, debe de cobrar una miseria, y son muchos los hombres y bastantes las mujeres a quienes les encanta ese juego de bromas procaces, desplantes, coqueteos, frases de doble filo, en ese terreno escabroso que bordea la obscenidad. Hombres solitarios, como el filósofo de medianoche, que no buscan casi nunca una aventura real, pero a los que estas distendidas bromas, esa inocente palmada en el trasero, ese tirón de la cola de caballo, ese agarrar y resistirse a soltar la mano que les ha tendido los cartones, les ilumina un poco la aburrida opacidad del día.

Al filósofo de medianoche –pobre filósofo de la noche, piensa el hombre con un amago de ternura– se le encienden los ojos y babea literalmente cuando Arturo le hace en broma un gesto equívoco desde el otro extremo de la sala, se apoya en su hombro mientras le sirve una copa o le pregunta cuándo le va a encontrar un lugar decente donde irse a vivir. «Qué más quisiera yo, qué más quisiera», suspira el filósofo, que gana lo justo para subsistir. El filósofo de medianoche pasa en el bingo un montón de horas, pero la cerveza dura tanto en su copa como si en lugar de ser bebida se fuera consumiendo por evaporación, y, a no ser por los cartones que le regala Rosa y ahora también el hombre, pasaría más de la mitad de las partidas como mero espectador.

9

Hoy Rosa y el hombre están solos en la mesa de siempre, juegan únicamente dos cartones cada vez, conversan en los largos paréntesis que se abren entre partida y partida. Y, entre partida y partida, Rosa comenta que sí, que, como dijeron la otra noche, la vida tiene cosas extrañas, y luego le cuenta: «Yo me casé muy joven, sabes. Tal vez me esté mal decirlo, pero a los dieciocho años era una belleza. Él era fino, educado, todo un señorito, con mucha labia, muy guapo también. No es raro que los hijos nos salieran preciosos. La familia era del norte y tenía negocios en el País Vasco. Pese a mi aspecto de mujer hecha y rehecha, yo era una cría, sabes, de lo más inocente, sin experiencia de nada, y me casé muy enamorada. Poco antes de que saliera de cuentas de nuestro primer hijo, mi marido me dijo que su padre lo mandaba a Bilbao, pero que volvería a tiempo para el parto. Bueno, el parto se adelantó, y no lo localicé en el hotel donde solía parar ni en las oficinas ni en ninguna parte, y su padre me dijo que él no lo había mandado a Bilbao, que, por el contrario, le había dado unos días libres para que estuviera a mi lado todo el tiempo que hiciera falta. Total, que parí a mi primer hijo más sola que la una, porque ya sabes que casi no tengo familia y que la poca que tengo vive en un rincón perdido de Andalucía, y llorando las lágrimas más amargas de mi vida. Y cuando él llegó con un ramo de rosas que no cabía en la habitación, y soltando un montón de mentiras, yo seguí llorando y preguntando una y otra vez con qué mujer había estado, hasta que se cansó de que me pusiera tan pesada, de que no dejara de llorar y de preguntar siempre lo mismo, y de negarlo él todo, y me dijo que no había estado con ninguna mujer. Me miró muy serio: "Te juro que no hay ninguna otra mujer en mi vida." Y lo decía con un retintín raro, pero yo era tonta de remate y no lo entendí hasta que me dijo: "He estado con un hombre." Me quedé de piedra. Creo que ahí perdí de golpe toda la inocencia. Pero seguí con él, sabes. Porque no tenía a quien acudir, ni tenía medios, y porque él me prometía siempre que iba a cambiar, y porque —ya hemos dicho que la vida tiene cosas raras— era un amante extraordinario. Tuvimos tres hijos más, los tres varones. Hasta que no pude aguantar a alguno de los tipos que traía a casa, ni que gastara en ellos un dinero que ya no teníamos, porque lo había dilapidado todo y sus padres no nos ayudaban ya, ni su empeño en involucrarme en sus historias, porque era un amante fantástico, ya te lo he dicho, pero a mí las relaciones a tres y las camas redondas no me van, no era cuestión de moral, porque ya no me escandalizaba de nada, era que no tenía ganas, lo probé un par de veces y no me gustó, y, bueno, un día me armé de valor y lo eché de casa, y me quedé sola con los cuatro niños y sin un duro, con una mano detrás y otra delante.»

El matemático ha acudido, porque es un curiosón impenitente y se muere por oír las historias de los demás, a sentarse a su mesa, y ha escuchado la parte final. Ahora mira a Rosa admirativo y envidioso: «¡Qué bien hiciste, por mala que fuera la situación económica en que quedaras! ¡Ojalá yo hubiera tenido el coraje de romper con mi mujer a tiempo y de largarme! Mientras trabajaba fuera y los hijos vivían todavía con nosotros, la situación era soportable, pero desde que me he jubilado y los hijos se han ido de casa, y estamos juntos y solos a todas horas, es un infierno. ¡Me parece que paso las noches en el bingo para no saltarle a mi querida esposa a la yugular!» Lo dice riendo, y los otros dos ríen también, pero Rosa le ha co-

mentado al hombre que la mujer del matemático
–envidiosa, alcohólica, permanentemente insatis-
fecha, siempre inventando males imaginarios o
previendo desastres, convencida de que nadie la
valora ni la quiere en lo que se merece– es realmente una constante incitación al asesinato.

Los hacen callar los chisteos de las mesas
vecinas, reclamando silencio porque han empezado a cantar los números de la nueva partida.
Rosa abandona la charla y los va tachando con
cuidado, asomando la punta de la lengua por un
extremo de los labios; es curioso el aspecto de niñi-
ta aplicada que adquiere durante el juego, que al
hombre le llamó la atención y le pareció gracioso
el primer día y que, ahora que la conoce, le resulta incluso conmovedor. El hombre tiene la sensación de que los clientes habituales están pendientes de si él va a cantar o no bingo una vez más
–le ha contado que algunos hasta intercambian
apuestas–, y eso le divierte y le incomoda a un
tiempo. Esta noche casi prefiere no ganar, y se
alegra de que canten línea y luego bingo al otro
extremo de la sala, en el reducto que llaman «de
Pedralbes», o sea de la zona alta de la ciudad, de
miembros de la burguesía, muchos de ellos brid-
gistas, que trasladan su ludopatía –y muy grave
tiene que ser ésta, porque se le hace difícil al
hombre imaginar dos juegos más opuestos que el
bridge y el bingo– desde el club donde han dis-

putado un torneo o una pool hasta la sala de bingo más próxima.

Empiezan a repartir de nuevo cartones, y se reanuda la charla en las mesas, o de mesa a mesa. Y Rosa ríe unos instantes para sí misma y, ante la mirada interrogadora de los dos hombres, dice: «No os he contado lo más gracioso. Nuestro hijo mayor le preguntó a su padre por qué se había ido, y mi ex le dijo que él no quería irse, que era yo la que le había echado. Y el niño, que tenía entonces ocho años, vino a pedirme cuentas. Le respondí que tenía mis motivos, pero que él era demasiado pequeño para entenderlos, más adelante se los explicaría. No protestó. Me preguntó que cuándo, y, para sacármelo de encima, le prometí que cuando tuviera catorce años. Lo olvidé completamente, claro. Porque además el chico no volvió a mencionar el asunto ni a hacer preguntas. Y un buen día me levanto y lo encuentro esperándome, ya vestido, en la mesa del desayuno. "Hoy cumplo catorce años", empieza, y, ante mi desconcierto: "Tienes que explicarme por qué echaste a papá de casa." Y se lo explico, pero le prohíbo que lo cuente a sus hermanos pequeños. No sé si entre ellos guardaron el secreto, pero yo se lo fui contando, a los otros tres, el día que cumplieron catorce años.» Al matemático le brillan maliciosos los ojos pequeños, y se le escapa de nuevo la risa: «¿Quieres decir que el día de su catorce aniversario, después de felicitarles y darles un beso, los sentabas solemnemente a la mesa del desayuno, y, como primer regalo de cumpleaños, les decías que su padre era maricón?» Rosa se encoge de hombros y sonríe: «Más o menos. Y ninguno de los cuatro lo tomó a la tremenda, sabes.»

10

«El mundo está lleno de mujeres», piensa el hombre, sentado casi de madrugada en su mesa habitual, solo ante sus cartones, porque los miembros del grupo se han marchado ya, de hecho el local está casi vacío, y Rosa no ha venido hoy, «y nosotros disponemos sólo de una vida para amarlas, unos breves instantes entre dos eternidades, y para los que no creemos en el más allá, para los que estamos convencidos de que con la muerte cae definitivamente el telón, debe de ser terrible llegar a ella y pensar en todas las historias no vividas, en todas las ocasiones por miedo o por prudencia, o incluso por fidelidad a un gran amor que se pretende único, desechadas. Creo que a la larga no se lo hubiera perdonado a Ana, temo que hubiera terminado por pasarle de un modo u otro factura, por guardarle rencor. Aunque es muy posible que ella lo descubriera por sí misma más adelante; tal vez se trataba únicamente de que éramos demasiado jóvenes: yo para renunciar a otras mujeres y ella para aceptar que las hubiera. Y al mismo tiempo aspirábamos todavía los dos al gran amor romántico, al amor con bombo y platillos, acompañado de un lujoso despliegue de fuegos artificiales.» Al hombre se le escapa una sonrisa, porque sabe que en el fondo es a ese gran amor al que, romántico impenitente, ha seguido aspirando a lo largo de toda su vida, y está por consiguiente de más el «todavía». («Sólo que para mí, Ana», añade ahora, reanudando ese diálogo imaginario con un fantasma al que últimamente se entrega con frecuencia, en el que últimamente se refugia con frecuencia, «no tiene que ser por fuerza único. Podía amarte a ti y amar al mismo tiempo a otras mujeres, y estaba dispuesto a aceptar que me amaras a mí y amaras a otros hombres, pero temo que esto, de haberme animado a decírtelo, no hubiera hecho más que empeorar las cosas, al convertirse para ti en una prueba irrefutable de mi desamor. Nunca quisiste admitir que un ser humano no puede serlo todo para otro ser humano a lo largo de toda una vida.»)

Y, como por fin ha llegado Rosa (que se desprende apresurada de la chaqueta, y la deja junto con el bolso en la silla contigua, no en el suelo, y deposita dos o tres paquetes, seguramente ha ido

90

de compras y no ha pasado luego por su casa, ésos sí en el suelo, y dispone el billetero y el tabaco y el encendedor sobre la mesa, y llama a Araceli, que ha pasado ya por allí repartiendo cartones, y levanta los dedos índice y corazón para indicarle que son dos los que quiere para la próxima partida), la saluda con un gesto y le pregunta a quemarropa: «¿Crees que se puede amar a la vez a dos personas distintas?» Y Rosa ríe, se encoge de hombros –ella qué sabe–, comenta que últimamente, más que unos vejestorios jugando al bingo, parecen dos adolescentes intercambiando confidencias entre clase y clase. «Los hombres os pasáis media vida tratando de convencernos de que sí podéis», concluye al fin, y añade: «Razón lleva Celia cuando dice, aunque no hay persona en el mundo con menos motivos para decirlo, con ese santo que dios le ha dado por marido, que los hombres sois todos unos canallas.» «En serio, Rosa, estoy hablando en serio», insiste el hombre. «Pues en serio: uno hace lo que le dejan hacer los otros, sabes, uno llega hasta donde se le permite. Y en una mujer estar enamorada de dos hombres no queda nada bien, peor que decir tacos o que fumar por la calle. Incluso creo que hasta hace poco el adulterio era para nosotras un delito. Tenías un amante, a lo mejor porque estabas enamorada de dos hombres a la vez como tú dices, o porque estabas hasta las narices del tuyo, o porque te lo pedía el cuerpo, y te llevaban presa.» Y, tras un breve silencio, añade: «Claro que tampoco queda ni pizca bien –o por lo menos no quedaba ni pizca bien en mi tiempo– que los cuerpos de las mujeres pidan algo.» Rosa ha hablado todo el rato en tono de chanza, pero seguramente lleva razón, piensa el hombre, porque sabe mucho de la vida esa mujer que se lamenta de sus pocos estudios y de que todo lo aprendió en la calle, esa mujer que ha conservado intacto su buen humor a lo largo de una existencia difícil, y que, ahora que sus cuatro hijos están lejos, distrae en el bingo sus noches de insomne solitaria, sin hacerse reproches ni hacérselos a nadie, convencida de que lo mejor que puede intentarse en este perro mundo es pasarlo lo mejor posible y ayudar a que lo pasen lo mejor posible los demás.

A estas altas horas de la madrugada, quedan todavía en la sala unas pocas parejas. Algunas, sobre todo los fines de semana, cuando a la mañana siguiente no hay que madrugar, de matrimonios de lo más respetable, que comparten esa afición como otros matrimonios comparten otras, una excepción al rechazo que suelen oponer los maridos a la adicción binguera de sus esposas; otras, de ligues más o menos ocasionales, en que los hombres suelen mantenerse en obstinado silencio, mientras ellas, faldas o pantaloncitos mínimos, senos y estómagos y muslos al aire, alambicados peinados de peluquerías de barrio, copiosos maquillajes, deambulan en ostentosa exhibición de un lado a otro y no paran de reír y de hablar sin ton ni son, y resulta curioso, piensa el hombre, que cuanto más tonto es lo que dicen más alcen la voz para decirlo, y que los hombres que van acompañados de estas mujeres no parezcan en absoluto avergonzados ni incómodos, sino indiferentes o incluso orgullosos. Queda algún grupo de jóvenes, atolondrados y vocingleros, también obstinados en llamar la atención y hacerse notar a toda costa, que irrumpen como un ciclón, rompiendo el solemne silencio del templo, arman un jolgorio cuando, para disgusto de casi todos los que ocupan la sala, cantan bingo –parece raro, pero lo cantan casi siempre–, y se largan después, tan ruidosos y con el mismo aire de dueños del mundo con el que hace poco han llegado. Pero casi todos los bingueros de altas horas de la madrugada son insomnes solitarios. Y seguramente lleva razón Rosa cuando dice, hable o no en broma, que uno hace lo que le dejan hacer los otros, que uno –todos– llega hasta donde se lo permiten los demás, porque casi nadie utiliza un control, una autocensura, para los propios abusos.

Absorto en sus elucubraciones sobre la pluralidad de amores y los abusos de poder entre los sexos, el hombre casi no ha advertido que esta noche, y es algo que no ocurre con frecuencia, hay

93

en una de las mesas, acompañado de un amigo que intenta sin éxito refrenarlo, un tipo que se ha pasado de copas, ha agarrado una curda descomunal y tiene, por lo que parece, muy mal vino. Lleva un buen rato dando puñetazos en la mesa, volcando ceniceros, profiriendo improperios cada vez que no canta: contra su puta mala suerte, contra los dueños del bingo, que son obviamente unos ladrones, contra dios y toda la corte celestial, para los que dispone de un amplio repertorio de blasfemias. Al hombre le ha llamado por un momento la atención lo imaginativo de alguna de las blasfemias, por otra parte brutales, pero no advierte que luego la furia del borracho se desvía hacia la muchacha que vende en este momento los cartones, una chica jovencita que debe de ser nueva en el trabajo, porque no recuerda haberla visto antes. El hombre está con la mente en otra parte, y sólo cuando Rosa aprovecha el momento en que la chica pasa por su mesa para retenerla por el brazo y sugerirle: «¿Por qué no te sustituye uno de tus compañeros?» (sugerencia que la chica no entiende, puesto que arguye, aún más azarada y en tono de disculpa: «¿Por qué? ¿Estoy haciendo algo mal?»), se da realmente cuenta de lo que ocurre, de lo que debe de estar ocurriendo desde hace ya un rato, y oye el farfulleo del borracho: «Me estás vendiendo una porquería de cartones y te juro que me las vas a pagar, asquerosa de mier-

94

da. Si hubiera sido tu padre, al nacer te habría cortado en pedacitos y te habría echado al container. Te juro que te espero a la salida y te mato a hostias.» El hombre mira a su alrededor, esperando que el jefe de sala, o el encargado de seguridad o algún otro empleado intervenga, pero no aparece nadie, y es Rosa la que le dice al energúmeno que se calle ya, que esa chica está haciendo su trabajo y no tiene por qué soportar sus disparates, y el borracho queda un momento atónito, perplejo ante la interrupción, para reanudar luego con mayor virulencia sus insultos, mientras su amigo le hace desesperadas señas a Rosa de que no debe tomarlo en serio, ya ve que está borracho, y Rosa replica que, si está borracho, que lo saque de allí, y el borracho le grita a Rosa: «¿Y tú, vieja? ¿Qué haces tú aquí a estas horas, en lugar de estar cuidando a tus nietos o fregando platos?»

Y ahora el hombre, que nunca utiliza la violencia física, que desde los lejanos días del colegio no se ha pegado con nadie, se levanta como una exhalación, va hasta la otra mesa, agarra al borracho por las solapas, lo arrastra –tras derribar de un empujón al amigo, que intenta interponerse– hasta la calle, le zarandea con violencia, le hace caer y le deja tumbado allí, manoteando como una cucaracha panza arriba, en la acera mojada por la lluvia.

Después regresa a su mesa, se desploma abochornado en la silla, pide un whisky doble a uno de los camareros –de repente el local, desatendido hace un momento, se ha llenado de empleados, incluido el jefe de sala, que le pregunta solícito si se encuentra bien, si no se ha hecho daño–, no para recuperarse de nada, sino para librarse de la sensación de ridículo. («Ay, Ana, ¿qué dirías tú si me vieras embarcado en una pelea de borrachos, jugando a Don Quijote en un bingo a las cinco de la madrugada?»)

11

Pero aquel repentino ataque de furia justiciera, que el hombre considera grotesco, no le pareció mal a Rosa. «Yo hubiera hecho lo mismo», afirmó, una vez estuvo segura de que él no había sufrido ningún daño, «sólo en ocasiones como ésta lamento ser mujer y pienso que preferiría ser hombre.» Y luego: «Me ha encantado que estuvieras aquí y que salieras en mi defensa, porque ha sido por mí, claro, y no por la chica, Elisa creo que se llama», para concluir, riendo: «Claro que el tipo no dejaba de tener algo de razón, porque, veamos, ¿qué hace aquí una vieja como yo, tirando el dinero hasta la madrugada? Seguro que estaría mejor en mi casa, y tú también, aunque no tengamos nietos que cuidar, ¡qué más quisiera yo que tenerlos!»

No, no había sido por Elisa, en la que ni siquiera se había fijado, hasta el punto de que no la reconoce cuando al día siguiente se acerca a él, antes de que empiecen las partidas, todavía vestida de calle, para darle las gracias «por lo de ayer», aunque no había que tomarlo tan en serio, añade, eran sólo los disparates de un borracho, en el fondo inofensivo, a ella no la había ofendido ni asustado, seguro que no la hubiera esperado a la salida ni le hubiera hecho ningún daño, pero de todos modos no le habría venido mal la lección que él le había dado, y que se tenía más que merecida.

El hombre no la ha reconocido hasta que la ha oído hablar, pero ahora no aparta los ojos de ella. Parece una muchacha del renacimiento italiano. Tiene la piel muy blanca, lechosa, cuajada de pecas pálidas, y el cabello rubio, con leves tonalidades rojizas, le cae en suaves rizos sobre los hombros. Una belleza antigua, piensa el hombre, con cierta vocación de pelirroja sólo a medias consumada. Lleva, como casi todas las empleadas del bingo, pantalones tejanos, pero la blusa de gasa blanca con estampado de flores silvestres muy pequeñas le recuerda la túnica de la muchacha floral de *La primavera,* y tiene que haber sido de su abuela, o haberlo comprado en un mercadillo de objetos viejos, el camafeo que lleva colgado al cuello. En el rostro de tonalidades apagadas –ni siquiera se ha puesto carmín en los labios exangües– destaca la vivacidad de unos ojos enormes de un violeta increíble, tan inverosímil que por unos momentos el hombre alienta la sospecha, pronto desechada, de si llevará lentillas de color. «Tengo que pintarla», piensa luego, «tengo que pintar a esa muchacha de encanto en parte fantasmal –como surgida de otro tiempo o como una de las amadas muertas de Poe–, pero que posee unos ojos donde estalla la máxima intensidad de vida que he visto nunca en los ojos de una mujer, y que acaso, como los de Ana, varíen de color según las horas, las estaciones del año, según su humor.» Se pregunta si los pechos, que se adivinan pequeños bajo la blusa, compartirán la misma blancura lechosa del rostro, y estarán coronados por unos pezones rosa pálido, propios de una adolescente, y si el vientre sobresaldrá en una curva leve, apenas insinuada, como en las muchachas botticellianas, y si el vello púbico tendrá unos reflejos rojizos semejantes a los del cabello, un pubis de pelirroja, de pelo suave, fino, rizado, poco tupido, no el espléndido acerico negro y espeso de la mujer del *Último tango*, elemento fetiche de sus fantasías eróticas, un vello bajo cuya transparencia dorada se adivine el sexo y que acaso tenga el perfume de las hierbas silvestres un rato después de ser cortadas, cuando han perdido algo de su fragancia pero no están todavía marchitas. El hombre vacío de deseos, el hombre que desde

hace ya tiempo ha dejado de pensar en las mujeres, tiene una fugaz visión de la muchacha desnuda, tendida desnuda, y él hundiendo la cabeza entre sus piernas, apartando a lametones los rizos de
su pubis, sorbiendo el aroma y los jugos de su
sexo.

La chica sigue hablando de lo ocurrido la noche anterior –tiene una voz grave, aterciopelada,
no tan profunda como la de Ana, pero libre de
esos agudos estridentes que él odia en algunas voces femeninas–, aunque en realidad el hombre no
atiende a lo que ella dice, está pendiente de controlar sus emociones, de que no se refleje en su
rostro lo que está fantaseando. Le dice, pues, una
frase amable –no tiene por qué darle las gracias,
él sólo hizo lo que hubiera hecho cualquier otro
de estar en su lugar–, le estrecha unos segundos la
mano –una mano pequeña, pero que le sorprende por la energía con que oprime la suya–, en se-
ñal inequívoca de despedida. Tiene ganas de que
se vaya, de que le deje, para poder pensarla, en su
ausencia, a solas y en paz.

Al hombre le gustaría que no llegaran hoy
pronto los amigos, que van compareciendo habitualmente a lo largo de la tarde, y que se sientan
en su mesa o en las mesas contiguas, unos para
quedarse hasta la madrugada, otros para desapa-
recer a la hora de cenar o incluso antes. Le gustaría que le dejaran saborear a solas esos instantes

100

de deslumbramiento. Porque no importa, al menos en estos momentos no importa demasiado, lo que pueda ocurrir entre él y una muchacha a la que apenas conoce, de la que no sabe nada, con la que no es siquiera seguro que llegue a compartir una historia, lo importante –tan sorprendente, además, que no acaba de creerlo– es haber descubierto que es todavía capaz de experimentar emociones, de alentar deseos, de sentirse vivamente interesado por alguien. De ser esto posible, piensa, resulta que otras muchas cosas vuelven a serlo. Porque, si es cierto, y quizás lo sea, que cuando el amor nos deja la muerte nos alcanza, bien pudiera ser que el regreso del amor –caso de producirse, de que esto que acaba de ocurrir se convierta en el inicio de un amor– le devolviera de golpe al mismo centro del torrente agitado de la vida.

Al hombre le gustaría que le dejaran hoy un rato a solas con sus cartones y con sus ensueños –que no están por una vez centrados en el remoto pasado compartido con Ana–, pero casi en cuanto Elisa ha desaparecido camino de la habitación donde las chicas se cambian de ropa –y, le parece al hombre, de aspecto, porque siempre le sorprenden cuando las ve vestidas de calle–, antes de que se anuncie el inicio del juego o comparezca el primero de los contertulios habituales, se aproxima Natcha, con sus andares ondulantes, afectados, un poco cómicos, de mujer fatal de película de bajo presupuesto, se sienta con estudiada desenvoltura a su lado, cruza las piernas —realmente magníficas, observa él, que la ve por primera vez con falda, las mujeres que poseen unas piernas como éstas deberían tener prohibido llevar pantalones—, le escudriña risueña, frunce el ceño. «No has hecho nada por volver a verme», comenta, y, ante el silencio del hombre, concluye: «Vaya, no imaginé que hubiera otra mujer.» Es curioso, piensa él, lo ha pensado ya antes muchas veces, que las mujeres atractivas, y hasta las que no lo son tanto, consideren que todo hombre tiene que precipitarse en su cama en cuanto surge la menor oportunidad, como si se tratara de machos en permanente estado de celo indiscriminado, y que si no lo hace tiene que tratarse forzosamente de un impotente o de un gay irrecuperable. Natcha ha decidido que su desinterés obedece a que hay otra mujer, y cuando él arguye sin convicción: «Sabes que estoy casado», se echa a reír: «No, guapo, no. Tú no eres el tipo que se pierde una aventura porque tiene una mujer en casa.»

No está enfadada, no parece sentirse en absoluto ofendida, tal vez porque ha dado con una explicación que deja a salvo su amor propio. Da el asunto por zanjado y cambia de tema de conversación: «Me cuentan que sigue tu racha de buena suerte, que cantas al menos tres o cuatro bingos por día.» «Sólo es eso», insiste él, «una racha, que puede terminar en cualquier instante, del mismo modo en que empezó.» «Sería preferible que durara un poquito más», dice ella despacio, con voz un poco rara, como hablando para sí misma. Y él: «¿Por qué? No me hago la ilusión de que voy a seguir ganando siempre.» Y la muchacha: «No lo decía pensando en ti. Sé que ni siquiera ganar o no ganar te importa demasiado. Lo que ocurre es que el matemático ha tenido una idea, y a mí me parece muy ingeniosa, casi diría que genial, porque el matemático está loco de remate pero es un tipo listo, y he pensado que tú podrías resultar muy útil. De hecho eres la persona ideal para colaborar con nosotros. La verdad es que, si no contamos contigo, no veo modo de llevar adelante el plan.» Al hombre le intriga en qué consistirá tal plan y a quién incluirá el nosotros, pero no quiere ponérselo tan fácil, y devía ligeramente el tema de la conversación. «¿Por eso me hiciste el regalo de cumpleaños?», inquiere. «Y porque me apetecía, porque tuve ganas.» «¿De hacer el amor como lo hicimos? ¿Sin nada más? ¿No te parece un poco perverso?» Ella le mira sorprendida, con –le parece al hombre– un asomo de desdén, como si no hubiera esperado oír de sus labios tamaña tontería. «Supuse que habría luego ocasión para otras cosas. Pero, además, ¿qué sería el amor sin perversiones? Un juego estúpido y mecánico que po-

103

demos dejar para los animales», le dice, y, mirándole –le parece de nuevo al hombre– como a un imbécil, o como a un niño poco avispado para su edad: «Creí que eso tú al menos lo sabías.»

12

El hombre sigue yendo al bingo todas las tardes, en cuanto sale del despacho, y quedándose allí, casi siempre, hasta la madrugada, hasta la hora de cierre, hasta que anuncian las dos últimas partidas, y se juegan, y los adictos más recalcitrantes, y él –que no lo es, que ni siquiera sabe con certeza, o no sabía hasta hace poco, qué diablos busca allí–, no tienen más remedio que marcharse –si no los echaran, piensa el hombre, seguirían aferrados a sus cartones, muertos de fatiga, a punto de derrumbarse exánimes sobre las mesas, pero expectantes, atentos a la voz que va salmodiando monótona los números, y es raro que a ningún bingo se le haya ocurrido todavía abrir por las mañanas–, y salen apresurados y furtivos –como cucarachas o como las hormigas cuando de niños, en el pueblo de veraneo, arrancaban de golpe la corteza de los troncos de los árboles tras la que se resguardaban–, y en apenas dos minutos se ha vaciado la sala, se han apagado las luces, se han cerrado las puertas, pues los bingueros no, pero los empleados sí están sin duda impacientes por terminar la larga jornada laboral y regresar a sus casas. El hombre sigue yendo al bingo, y Adela no ha vuelto a objetar nada, tal vez porque él ha transigido en acompañarla de nuevo algunas veces a la ópera, al teatro, a cenar con amigos, en compartir casi todos los domingos los almuerzos familiares y con niños en el club, o tal vez porque alguien le ha visto y ha ido a contarle dónde pasa su marido las veladas y eso hace improbable la existencia de otra mujer, porque no es fácil que nadie que le haya visto con Rosa pueda suponer que es su amante. Quizás los hijos le miran a veces de un modo raro, inquisitivo, y en ciertos momentos han parecido a punto de decirle algo, que por fin han optado por callar, convencidos de que ese nuevo capricho de su padre terminará como han terminado tantos otros –rarezas de artista o rarezas ya de viejo– y que además no reviste excesiva gravedad, imposible que se arruine en el bingo, el casino sería otro cantar, pero de todos modos al hombre lo que opinen sus hijos –esos desconocidos en los que se han convertido sus hijos al crecer, a los que seguramente quiere y a los que sin duda desea ver felices, pero de los que no

106

espera nada–, o lo que pueda disgustar o no a Adela, ha dejado hace mucho de importarle.

El hombre sigue yendo al bingo casi todas las tardes, ocupa la mesa de siempre, que los habituales consideran ya por derecho propio su mesa –incluso dirigen miradas aviesas a los incautos que en ocasiones llegan antes que él y usurpan su sillón–, habla con sus nuevos amigos –tan distintos de él, pero que hacen se sienta, cualquiera sabe por qué, más cómodo que entre la gente de su mundo– como en una tertulia de café, y canta todos los días cuatro o cinco o seis bingos. Debe de haber ganado un montón de dinero, a pesar de que distribuye propinas disparatadas y paga cartones o invita a una copa a media sala, y, cuando ha ganado un premio especial, a la sala entera, con lo cual incrementa, sin quererlo, la atención general, y hace que se mantengan fijas en él todas las miradas y que se produzca un murmullo de admiración y envidia cada vez que canta. Algunos le deben de odiar más que a los jugadores de ordenador, teme, por ser más desigual la lucha en que los vence: él contra todos, y sin ayuda de las máquinas, sin jugar nunca más de seis cartones («eso no importa», comentan a menudo, y añaden otra de las frases habituales en el bingo: «se canta con uno solo», como si no supieran, y lo saben, que a mayor número de cartones, mayor probabilidad, y que en los juegos de azar es la probabilidad lo único que cuenta, no la posibilidad). La verdad es que no le importa el dinero y, sin embargo, se produce una emoción artificial en el curso de las partidas –no los primeros días, pero sí ahora–, una pequeña conmoción en el momento en que ve aparecer en las pantallas el último número que le falta para completar el cartón y lo oye cantar un instante después y dice sin levantar mucho la voz «¡bingo!», una descarga de placer, intensa pero brevísima, más breve, mucho más breve que un orgasmo. Es esa emoción artificial, ese sucedáneo de orgasmo solitario, lo que buscan seguramente muchos bingueros, porque ¿a quién que tenga un mínimo de sensatez se le puede ocurrir jugar con el objetivo de ganar dinero? Juegas, piensa el hombre, porque eres un ludópata perdido o para comprar retazos de emoción artificial.

Va al bingo y se sienta en la mesa de siempre, aunque vea que a Elisa le han asignado otra zona de la sala, y no se acerca en ningún momento a ella ni la llama cuando está pregonando el último cartón. La observa desde lejos y espera. Es posible que uno siga enamorándose igual a los sesenta que a los veinte años, piensa, que el frenesí, la locura, la enfermedad sea la misma, pero algo ha cambiado. Aquella urgencia que le impelió a precipitarse sobre Ana, arrastrarla al bar de la universidad, querer que se lo dijeran todo, que lo acordaran todo, en un tiempo mínimo –entonces, cuando disponían todavía de todo el tiempo, de una existencia que acababa de empezar–, que inauguraran la vida a dos sin perder ni un segundo; aquella prisa, aquella avidez, que le han hecho abordar de inmediato, acosar sin tregua, sin darles un momento de respiro, sin aceptar más demoras que las inevitables, y éstas con enorme disgusto, a las mujeres que han suscitado en él una de esas pasiones fulminantes, porque lo suyo es el flechazo, el amor a primera vista (aunque a veces culmine en el gran amor y otras se desvanezca rápidamente como un espejismo), aquella urgencia, aquella avidez, han desaparecido.

Se sienta en su sitio de siempre y la observa de lejos y espera. No sabe con certeza si porque esta espera se ha convertido en un placer en sí mismo que quiere prolongar al máximo, o porque le resulta incómodo y le hace sentirse ridículo asumir la imagen de señor maduro que se liga a una empleada del bingo a la que lleva más de treinta años, o porque teme que ese inicio de historia que todavía no es nada, que no tiene apenas una base sobre la que sustentarse (sólo la imagen de una muchachita pelirroja que le recordó una de las figuras de la *Primavera* de Botticelli, tal vez ante todo por la blusa de gasa con florecillas, bajo la que se transparentaban unos pechos adolescentes, una muchachita que le conmovió y le pareció distinta, que le hizo soñar –ahora que soñar se ha vuelto tan difícil–, pero que acaso, cuando se acerque a ella y vuelva a verla de cerca, no resulte siquiera tan excepcionalmente bonita, que acaso, en cuanto hayan conversado un rato y haya averiguado cómo es y cómo piensa y sobre todo de qué forma se comporta, se revele insoportablemente tediosa o estúpida o vulgar), ese inicio de historia se desvanezca en el primer contacto con la realidad.

Espera, pues, hasta el día en que a Elisa le toca repartir los cartones en su zona, y sigue esperando hasta que la sala se vacía y no queda ya nadie en su mesa, y sólo entonces la retiene un momento y le explica que es pintor, aunque de hecho se gana la vida con una profesión muy distinta y la pintura puede considerarse un hobby, pero no lo hace mal y expone con cierta frecuencia y vende bien sus cuadros, y le gustaría que posara para él porque es justo el tipo de muchacha que busca como modelo. Elisa le mira atónita. Vestida con el traje de chaqueta rojo del uniforme y con el cabello recogido en una cola de caballo, ha perdido en parte su aureola mágica, su aire antiguo de doncella renacentista y florentina, el morboso encanto de las amadas de Poe que se deslizan entre las aguas ambiguas de la vida y de la muerte, ha perdido misterio. Es, piensa el hombre, una chica de hoy, como tantas otras, más bonita sin duda que la mayoría, con esos ojos de un violeta resplandeciente, y esos bonitos senos que se adivinan y parecen retozar bajo la blusa, y esas largas piernas que la brevedad de la falda deja al descubierto. Al hombre le gustan las mujeres de piernas largas, incluso en exceso, incluso en ligera desproporción con el resto del cuerpo (Elisa no es muy alta, no tiene los anchos hombros ni los miembros deportivos y elásticos de Natcha, hay en ella un punto frágil, infantil, vulnerable), y le encanta verlas mantenerse en difícil, en precario equilibrio, sobre altísimos tacones, algo que no consiguió nunca de Ana, dispuesta a hacer por él muchas cosas, a ceder en muchos puntos, ante todo en los de carácter práctico y no ideológico, pero no a renunciar a sus zapatos planos, acaso por considerar que el número de centímetros de los tacones de unos zapatos de mujer entran de lleno en el campo de la ideología. Y el desconcierto de Elisa aumenta cuando él le pregunta sin que venga a cuento, o al menos sin que ella pueda adivinar a qué obedece un cambio tan brusco de tema: «¿Tú tampoco llevas zapatos de tacón?» Y Elisa, sin tratar de averiguar a quién alude el «tampoco»: «Cuando trabajo, no. Son demasiadas horas de pie. Los días que tengo fiesta, sí suelo llevar zapatos de tacón.» Y él: «Póntelos el día que vengas a mi estudio.» Y Elisa: «Todavía no he dicho que vaya a ir.» Y el hombre, con una seguridad que no siente, aterrado por el desencanto que para él supondría, después de tanto fantasear, una negativa: «Claro que irás. ¿O temes que se enfade tu novio? Sólo se trata de posar unas horas, y de que yo te pinte. No tendrás siquiera que desnudarte.» Y aunque le avergüenza recurrir a este argumento, añade: «Además es un trabajo que, tratándose de una chica tan especial como tú, puede pagarse muy bien.»

Pero Elisa no se niega. Esboza un mohín de duda, alza los ojos al cielo como buscando inspiración, y, dado que los cielos permanecen cerrados, los ángeles mudos, se encoge de hombros, suelta una risita, asegura que novio no tiene, que lo tuvo pero no lo tiene ya, que de todos modos, con novio o sin novio, ella sería libre de hacer lo que quisiera, y decide que bueno, por qué no, nada se pierde con probar, aunque no le parece a ella que tenga nada que la haga tan especial, y no está segura de saber posar porque no lo ha hecho nunca.

Y parte como una exhalación hacia la mesa más cercana, desde la que llevan casi dos minutos llamándola impacientes.

13

El hombre pasa los dos días que faltan para
que Elisa vaya a su estudio recorriendo tiendas de
ropa femenina, las mejores tiendas de lencería
y de moda de la ciudad, y no encuentra exactamente lo que busca –piensa en el vestuario de
Marlene o de la Garbo en las películas de los años
treinta, en algunos retratos de damas florentinas
que ha visto en los Uffici–, pero elige por fin tres
piezas espléndidas –un salto de cama de gasa mal-
va, una túnica recamada en oro, un vestido de
noche de terciopelo azul noche, de caída magnífica–, para que la muchacha pose con ellas –es
cierto que no tiene intención de pintarla desnuda, demasiado obvia la desnudez, demasiado vacía de misterio, mejor su cuerpo entrevisto, adivinado, como lo tuvo él ante sí el primer día– y
para regalárselas luego, aunque teme que no las

aprecie ni sepa qué hacer con ellas, que no encajen en su forma de vestir ni en su estilo de vida. Temor que se revela infundado, pues Elisa las recibe con incrédulo entusiasmo y asegura que es un regalo excesivo, que tal vez no debería aceptar, pero que es incapaz de rechazar, porque no ha –visto nunca nada tan hermoso, y no podía ni soñar poseer algo así, y las llevará a todas horas y en todas partes, sean o no adecuadas para la ocasión, que no lo serán, ya que ¿adónde va a ir ella para que sea adecuada una ropa tan lujosa? «Hasta que haya terminado los cuadros nos hacen falta en el estudio, después usas la bata en tu casa, o donde quieras, o la dejas aquí», dice el hombre, y añade, con cierto temor a que la chica crea que pretende ganársela con su dinero, comprarla por un precio tan barato, cuando es lo cierto que él –aunque sea generoso y, según Adela, uno de los pocos hombres que disfrutan haciendo regalos y que saben elegirlos– no ha pagado nunca por estar con una mujer: «Y buscaremos lugares adecuados para que luzcas los vestidos.» Pero la chica no parece tomarlo a mal. Elisa, antes y después de que sean amantes, aceptará con un entusiasmo casi infantil sus invitaciones y sus regalos, aunque nunca, pasados los primeros días, quiera aceptar dinero por sus sesiones de modelo, y repita obstinada una y otra vez que no lo necesita.

El hombre le hace poner el salto de cama

114

transparente –entreabierto hasta más abajo de la cintura– sobre el cuerpo desnudo, le indica que se tumbe en el diván, le hace rectificar varias veces la postura, sin acercarse a ella para corregirla, para colocarla exactamente en la posición adecuada, como haría con otras modelos, y no la ha recibido tampoco, como hubiera recibido a cualquier otra muchacha, con un beso, sino con un escueto apretón de manos, más escueto incluso de lo normal, parecido al que le dio en el bingo el primer día. El hombre rehúye el contacto físico. «No me atrevo a tocarla», piensa, «y no es por miedo a que me rechace o a percibir que le desagrado; entonces, ¿por miedo a qué?», y sólo al cabo de unos días se encontrará, sin saber cómo, sin habérselo propuesto, sin poder discernir siquiera si ha sido ella o ha sido él quien ha tomado la iniciativa, haciendo el amor con Elisa en el diván. Lo importante hoy es que la tiene aquí, que ha logrado sacarla sin excesivas dificultades del mundo cerrado que es el bingo y conducirla al ámbito privado de su estudio, al reducto favorito de su intimidad. La tiene aquí tal como la había imaginado, con la ropa y la pose que para ella tan cuidadosamente ha elegido: lánguida, ensoñada, pasiva, los labios entreabiertos, la mirada perdida en el vacío, nueva Dánae a la espera de ser penetrada por un dios en lluvia de oro convertido, Dánae de cabello rubio y piel dorada, como si presintiera de algún

115

modo la forma que para llegar hasta el refugio subterránco ha tomado su amante y quisiera de antemano adecuarse a ella.

Y el hombre se afana sobre el caballete con un entusiasmo, con un fervor, que hace mucho tiempo no sentía, arrastrado por un vértigo que había casi olvidado. «Cuando el amor nos deja la muerte nos alcanza», dice Mario, el inefable, genial, insoportable, ferozmente contemporáneo, poeta mendocino. Y nuestro Fray Luis, cuatrocientos años antes: «Es imposible vivir sin amar.» Con el amor, piensa el hombre, renacemos a la vida. El amor −aseguraba Ana exaltada y romántica, Ana, convencida de que pueden y deben darse unidos arte, amor y revolución, Ana, que tal vez lo siga creyendo en algún país perdido del Tercer Mundo o en un ámbito de esta misma ciudad ajeno a aquel en que él se mueve− desencadena en nosotros tal cúmulo de energías que el propio amor no es capaz de consumirlas todas y las que restan bastan para pintar la Capilla Sixtina o escribir *La Divina Comedia* o tomar el Palacio de Invierno. El hombre sabe que no es Miguel Ángel, pero tiene la sensación de que está pintando mejor que nunca, y no sólo porque sea Elisa la modelo ni porque ella esté allí. Es, piensa −consciente de que le falta un paso para caer en la sensiblería cursilona de un adolescente, para emular al protagonista de una de las telenovelas latinoamericanas que si-

guen con fervor las amas de casa después de recoger la mesa del almuerzo–, como si alguien, igual
pudo ser Cristo que un gurú, le hubiera ordena-
do inesperadamente «levántate y anda», y él se
hubiera levantado de su lecho de paralítico, se
hubiera alzado en el sepulcro donde llevaba tiempo pudriéndose, y hubiera echado a andar, dispuesto a no detenerse hasta alcanzar el fin del
mundo, para compensar tantos meses o años de
inmovilidad y postración; como si alguien le hubiera pasado los dedos por los párpados cerrados,
y sus ojos, que los mejores especialistas habían
diagnosticado irrecuperables, se hubieran abierto
a un mundo desbordante de formas y colores. Se
siente físicamente revivir, desde la planta de los
pies hasta las puntas del cabello (entrecano pero
abundante como el de los galanes maduros de las
telenovelas), y le parece percibir que desde todos
los rincones del cuerpo llegan placenteros mensa-
jes al cerebro comunicándole la buena nueva: están en perfecto estado, el organismo entero puede funcionar otra vez a pleno rendimiento. Al
hombre le gustaría creer en algún dios, para poder agradecer a alguien este último regalo, tan
inesperado, de la vida, o tal vez deba agradecerlo
a la vida misma, que ha sido siempre tan pródiga
con él y de la que, sin embargo, no esperaba ya
más nada. Y no importa, se dice en un arrebato
de exaltación, cómo termine la historia, no im-

117

porta el precio que finalmente tenga que pagar por ella, porque, ocurra lo que ocurra, habrá merecido la pena y él pagará cualquier cantidad sin regatear. El hombre no entiende en regateos: si de verdad desea algo, paga lo que le piden, y cualquier precio, si se trata de algo que de verdad no quiere, le parece abusivo. Y, como un adolescente o como el protagonista de una historia romántica, el hombre no aspira a una existencia tranquila, el hombre sigue anteponiendo vivir intensamente a vivir en paz. Ya hemos dicho que prefiere añadir vida a los años que añadir años a la vida.

14

Adela, después de unos días de tregua en que se han comportado los dos, en un intento inútil de aparentar naturalidad, como si no estuviera sucediendo nada, vuelve a hablar por fin con renovado encono de «esa mujer», distinta de las otras muchas que ha habido desde que viven juntos, sobre todo los primeros años, porque es evidente que «esa mujer» (cuando dice «esa mujer», se le contrae el rostro en una mueca de desprecio y asco, se le oscurece y enturbia la voz, y es como si estuviera diciendo «esa puta» o «esa zorra») le ha sorbido el seso y le ha convertido en un extraño, alguien que sólo para en casa o sale con ella o participa en una reunión familiar cuando no puede evitarlo y que se mueve entre los suyos con la escrupulosa discreción de un invitado que no está seguro de ser deseado o del huésped de un hotel en el que no se siente cómodo. Adela dice que la situación es insostenible, o por lo menos que ella no la puede soportar por más tiempo. Y luego calla, a la espera, piensa el hombre, de que él proteste, la convenza de que está en un error, de que no hay en esta aventura nada especial, de que es únicamente eso, una aventura más, tan frívola e intrascendente como las anteriores, ¿por qué tendría que ser distinta?, a la espera Adela de que sus protestas abran una posibilidad de que acabe esta pesadilla y todo vuelva a ser como antes. Y al hombre le gustaría aducir algo remotamente parecido a lo que ella –con los labios apretados, los ojos húmedos, las manos temblorosas– necesita oír, algo que la hiciera sentirse menos agraviada, menos furiosa, menos infeliz, pero tiene suficiente experiencia para saber que aquello que pueda argüir no servirá apenas para nada, dado que no se siente con fuerzas para negarlo todo, seguro además de que a estas alturas ya conoce su mujer la verdad entera o casi, y de que, caso de no conocerla, iba a costarle muy poco averiguarla.

Tendría que prometer, pues, romper con Elisa, no verla más, sólo una última vez para darle una explicación y despedirse, o ni siquiera eso, mejor comunicárselo por carta. Y por unos momentos se siente tentado a prometerlo –aunque no vaya a cumplirlo, pues renunciar a Elisa es en estos momentos para él, ignora si para siempre, impensable—, a aplazar el conflicto con una mentira, o con una sarta de mentiras, pero su mujer no se merece eso y además ¿cuánto tardaría en descubrir que se sigue reuniendo en secreto con su amante (y cuánto tiempo, por otra parte, se resignaría él a limitar su relación con Elisa a unos encuentros clandestinos), si, a pesar de ser, o eso parecía, tan poco propensa a los celos, ha dado en esta ocasión por sentada la existencia de otra mujer mucho antes de que la hubiera en realidad y cuando él no vislumbraba ninguna posibilidad de que apareciera? Pero explicarle esto tampoco, caso improbable de que le creyera, ayudaría demasiado a quitar hierro a la situación, a evitar unos dramatismos que él detesta y teme.

Lo cierto es que ahora sí existe otra mujer, y que Adela lo sabe, del mismo modo en que es cierto, y esto no lo sabe ella pero lo sospecha, que no se trata de un ligue fortuito, de una aventura como tantas otras. Él no puede, piensa el hombre —quizás porque este amor le ha pillado tan mayor, casi ingresando en la vejez, cuando no esperaba ya vivir nada parecido, y porque está seguro de que, dure lo que dure y acabe como acabe, va a ser el último—, ni plantearse siquiera renunciar a él, por mucho que le duela y angustie hacer sufrir a Adela, ver sufrir a Adela. («No me vengas con ésas», había cortado la tarde anterior sus lamentos Rosa, «ni esperes que te compadez-

121

ca, porque aquí la víctima es ella, el que sufre de verdad no es el que abandona, es el abandonado, y tú eres demasiado feliz en el fondo para dejar que te amargue la mala conciencia», y él había corroborado que en gran parte llevaba su amiga razón, y que no debía de ser él demasiado dado a los sentimientos de culpa, porque más que lo que puede sufrir Adela le importó el daño enorme y canallesco que le hizo a Ana, y mucho menos que Elisa le importaba la otra chica, que duró apenas unas semanas y de la que ni siquiera recuerda el nombre, y, sin embargo, eso no evitó que siguiera haciendo, como el gran egoísta que reconoce ser, su santa voluntad, o sea lo que en aquel momento le venía en gana, y entonces Rosa, que se pretende, sin serlo, casi analfabeta pero que él sabe llena de sabiduría, le había asegurado que no era más egoísta que la mayoría, y que tenía la ventaja de reconocerlo y de aceptar las consecuencias.) Y por mucho que al hombre le asuste la posibilidad de verse obligado a reorganizar una vida que tiene desde hace años tan pautada, tan resuelta, de tener que abandonar una casa donde ha pasado la mitad de su existencia y donde se siente cómodo, aunque le entristezca de repente mucho más de lo previsto el riesgo de perder contacto con sus nietos, aunque le dé una pereza considerable afrontar los reproches de los hijos y la reacción de los amigos, de los colegas, del que es y seguirá siendo quizá su mundo, no existen ni por lo más remoto en su caso motivos de tanto peso como el del marqués de Bradomín para renunciar a su personal sonata de invierno, y él seguirá con Elisa todo el tiempo que ella quiera, porque sólo la muchacha puede marcar en esta ocasión el final de la historia.

El hombre se ha mantenido casi todo el tiempo en silencio, pero ahora Adela parece haber terminado su discurso y calla también, a la espera de una respuesta, y algo tiene él que decir, de modo que asegura primero lamentar muchísimo lo que ocurre, algo que él ni deseaba ni ha propiciado, que ha surgido contra su voluntad, y (tiene en la punta de la lengua «de lo que ambos son inocentes por igual», pero rectifica a tiempo) de lo que nadie es responsable, y añade, con la incómoda sensación de estar repitiendo la misma mayúscula sandez a que han recurrido durante generaciones millones de hombres, que la otra mujer no tiene nada que ver con ella, que son dos cosas distintas, que a ella la sigue queriendo muchísimo, la sigue queriendo igual. Y a Adela, como a millones de mujeres a lo largo de generaciones, esa teoría de los dos amores le parece una falacia y la enfurece todavía más, ya que supone en algún modo equiparar la mujer a la amante. Y hace, sin poder contenerse, preguntas que no hay que hacer, y el hombre sabe que, sean cuales sean las respuestas,

123

no harán sino empeorar la situación. Cuente lo que cuente de Elisa, acorralado en un interrogatorio del que no acierta a escapar, siempre le parecerá a Adela la última mujer del mundo con la que hubiera debido ligar, la más inapropiada, la más ofensiva para ella, la que no tiene perdón. Malo que sea la empleada de un bingo, pero malo sería también que se tratara de una mujer de su mundo, de una de sus amigas, de su mejor amiga, de una colega del despacho; malo que sea joven y bonita, pero todavía sería peor el agravio si, colmo de desdichas, no se tratara siquiera de una mujer especialmente hermosa, si no le llevara a ella muchos años. Se hunden pendiente abajo en una caída que él no tiene medios de evitar, porque es inútil que le suplique a una Adela fuera de control que lo deje ya, inútil que le advierta que sólo conseguirán por ese camino hacerse el uno al otro todavía más daño. Adela quiere saberlo todo, su edad, su aspecto físico, el medio del que procede, su carácter, cómo empezó todo, cuándo y con qué frecuencia y dónde se ven, si es él lo bastante ingenuo, lo bastante vanidoso, para creer que ella le quiere de verdad por sí mismo y no se mueve sólo por interés, si no de dinero, puesto que asegura que no lo acepta, de lo que halaga su vanidad salir con un hombre tan superior en clase social, en prestigio, que la pasea por ámbitos que ella no hubiera pisado jamás, porque ya sabe que una noche la llevó a cenar a París, alguien los vio juntos, y no a un restaurante cualquiera sino al que prefieren y frecuentan desde hace un montón de años ellos dos, lo cual ya es el colmo de la desfachatez, de la falta de respeto hacia ella, del mal gusto y la carencia de ni siquiera un asomo de sensibilidad, y la chica llevaba un vestido que no se hubiera podido comprar con el sueldo de varios meses, de modo que sí es en definitiva una putita, una jodida mala puta, una putita hortera, aunque cobre, al menos por el momento, en especies, y seguro que se la pega ya con ese antiguo novio que jura haber dejado o que le pondrá los cuernos con cualquiera a la menor ocasión.

El hombre calla, aguanta lo mejor que puede la acometida, intenta introducir algún comentario conciliador, pendiente ante todo de que no se le escape, arrastrado y contagiado por el ataque de furia de Adela —esa virulencia suicida en el ataque que sólo suele darse en personas como ella, habitualmente ponderadas, educadas, pacíficas—, decir él algo irreparable, una de esas frases sin posible marcha atrás, que el otro no va luego a olvidar ni a perdonar nunca. El hombre intenta frenar como puede las torrenciales aguas desbordadas, acotar el avance del fuego, aterrado y fascinado a un tiempo por esas fuerzas desatadas de la naturaleza, entre las cuales figuran los celos, que lo arrasan y lo arrastran todo a su paso, irra-

125

cionales y terribles, unas fuerzas que sabe, no obstante, inútil tratar de someter a ningún tipo de control, indestructibles desde el exterior, que sólo acaban cuando se consumen y se autodestruyen. Y Adela llega hasta el final, hasta el punto más hondo del barranco, perdido todo pudor: «¿Qué tiene ella, aparte de ser más joven, claro, que no tenga yo? ¿Qué te da esa putita hortera que yo no pueda darte? ¿Tan buena es en la cama?» Y el hombre responde que no, no se trata de eso, de que sea más o menos buena en la cama. Y Adela: «¿De qué se trata, pues?» Y el hombre piensa: «Se trata de que con ella al lado recupero la juventud, regreso a mis treinta, a mis cuarenta años; se trata de que veo las cosas a través de sus ojos y me parecen nuevas, de que me ha devuelto la ilusión, de que me hace soñar. Le voy descubriendo el mundo, y yo, a quien el mundo parecía gris e indiferente, lo redescubro con ella. Se trata exactamente de esto: con Ana descubrimos el mundo juntos, cogidos de la mano, con Elisa lo redescubro al mostrárselo, éstas son las dos cosas que ni tú ni ninguna otra mujer habéis podido darme, y que las hacen a ellas dos únicas.» En cierto modo, Adela parece haber adivinado el curso de sus pensamientos, porque concluye: «Entonces, si no se trata de la cama, será que estás jugando a Pigmalión», y luego, malévola, vulgar: «Pues ándate con ojo, porque esa gatita callejera y trepadora, que se

126

te ha colado tramposa cualquier noche por la ventana, no se convertirá en una diosa del Olimpo, aunque le compres ropa cara y la lleves a nuestro restaurante preferido: seguirá siendo una putita hortera, y te abandonará por otro hombre el día menos pensado.»

El hombre tiene miedo. Por primera vez en su vida, piensa, siente miedo de que la situación se le escape de las manos. Ha llegado a los sesenta años manejando indefectiblemente los hilos de las historias, poniéndoles punto final o permitiendo de buen grado, propiciando incluso, que se lo pusiera otro. Mientras que en esta ocasión, ha comprendido mientras discutía con Adela, mientras trataba de calmar a Adela, no depende de él lo que suceda; este amor invernal, magnífico y terrible —que para él al menos resulta magnífico y terrible, aunque a los demás les pueda parecer simplemente ridículo—, durará lo que quiera Elisa. Y descubre que le sume en el desconcierto, que le provoca pánico, perder el control de lo que ocurra, porque lo cierto es que se ha resistido ferozmente siempre a entregarse por entero, a ponerse en manos de las múltiples mujeres a las que ha amado. ¿O acaso no han sido tantas? ¿Acaso no las ha amado tan apasionadamente, tan perdidamente, como creía amarlas?

Rosa escucha sus temores, en esas largas charlas, ese intercambio de confidencias, que mantienen a últimas horas de la tarde, cuando mucha gente se ha ido a cenar a su casa y el bingo queda medio vacío, porque no han llegado aún los clientes nocturnos a tomar el relevo, y las partidas discurren lentas, y el hombre y Rosa están solos en la mesa y juegan pocos cartones. Ahora Rosa sonríe, se encoge de hombros. «Igual tiene razón Celia y a todos os gustan sometidas», dice. Y: «¿Cómo va con Elisa? A ti te ha dado muy fuerte, ¿verdad? Pero es una buena chica, sabes, y parece que te quiere. Nunca la habíamos visto tan contenta, tan ilusionada con nadie.» Él asiente con la cabeza y calla. Sí, Elisa ronronea mimosa entre sus brazos, gime bajito de placer al más leve contacto, le cubre de caricias y de besos, le repite mil veces que le ama, que no sabía hasta conocerle lo que era el amor, Elisa estalla de felicidad, está bonita como nunca, tiene los ojos de un violeta cada vez más intenso e inverosímil, no queda rastro en ella de las amadas muertas de Poe, ni asomo de melancolía romántica. «Pero, por muy joven que me sienta por dentro», dice el hombre por fin, «la verdad es que soy viejo, Rosa, o que lo seré muy pronto, demasiado viejo para una chica como Elisa. Por más que ella asegure que no importa, que no me ve en absoluto mayor, que tampoco es una niña, que ha cumplido ya, aunque no los aparente, veinticinco años, la verdad es que nos llevamos otros treinta y cinco, y son muchos. Ella tiene toda una vida por delante y no puede aspirar a compartir conmigo más que una pequeña parte. En una relación como la nuestra no cabe envejecer juntos, estar uno junto al otro casi hasta el final.» «¿No te parece justo para ella?», inquiere Rosa. Y el hombre ríe: «No. Claro que no es justo para ella, y yo lo sé. Pero la verdad es que me preocupo ante todo por mí mismo. Siempre he presumido como un tonto de que no me había dejado nunca una mujer, y ahora viviré, me temo, con el miedo constante a perder a ésta.»

Han estado tan absortos hablando que el hombre ha olvidado tachar uno de los números, y sólo cuando ya han cantado bingo y lo han declarado correcto y preguntan por segunda vez a través del micrófono: «¿Algún bingo más en la sala?», mira por casualidad el panel y se da cuenta de que también él tiene bingo, lo tenía seguramente hace ya dos o tres números. Le da apuro cantarlo ahora y no le importa ganar o no ganar, de modo que opta por callar, pero Rosa se ha percatado inmediatamente de lo que ocurre, y le arrebata el cartón de las manos y lo enarbola en el aire como un

130

estandarte y grita «¡bingo!» tres veces enardeci-
da. El individuo que ha cantado primero les lanza una mirada atravesada, furioso por tener que
compartir con otro la cantidad que ya daba por
suya, y algunos ríen, los mismos que ríen cada vez
cuando se está jugando el supertoc y un incauto,
casi siempre hay uno en la sala, canta «línea»,
como si el hecho de que exista gente tan necia
como para ignorar que no se premia la línea en el
supertoc fuese un chiste graciosísimo o los situa-
ra a ellos en un plano de excelsa superioridad.

La cubana que lleva tatuada en la piel la estrella de David y tiene premoniciones sobre los
embarazos de las princesas se levanta de su mesa
y recorre el camino hasta ellos bailando una espe-
cie de zamba disparatada y frenética, agitando las
caderas, poniendo los ojos en blanco y cantando
a voz en grito –a pesar de las múltiples protestas
de la sala– «amor, amor, amor y más amor». Se
inclina luego junto al hombre, le tira de una oreja y le alecciona, agitando el índice ante él como
una maestrita redicha: «Ya lo ves, cariño, ni para
cantar bingo sirve un hombre enamorado.» Celia
rezonga por lo bajo contra la gente que no sabe
beber (y ahí no lleva razón, porque la cubana
visionaria no prueba el alcohol y se limita a ati-
borrarse de cafés con leche y de cruasanes; «dos
cosas maravillosas descubrí al llegar a España»,
asegura, «los cruasanes y el metro») y contra ese

131

putarrón hortera. Y el hombre se pregunta una vez más por qué habrá calificado Adela de «putita hortera» a Elisa, si ni siquiera la conoce, y si alguien la ha informado, la ha informado mal, porque Elisa no tiene ni de puta ni de hortera un pelo. Lo evidente es que todos en el bingo, todos los habituales se entiende, están al cabo de su relación. No está seguro de si le molesta o le halaga que este amor invernal sea un secreto a voces, pero era inevitable, porque él no le quita los ojos de encima mientras la chica deambula por la sala repartiendo cartones o se sienta en un alto taburete, mano sobre mano, una sonrisa a lo Gioconda en los labios, y ella no pierde ocasión para acariciarle una mano, rozarle la nuca, deslizarle un beso furtivo detrás de la oreja, cada vez que pasa por su lado.

Ahora la cubana se ha sentado a su mesa, al lado del hombre, y habla como siempre sin darse un punto de respiro, sin parar de moverse, de gesticular, de hacer mohínes, de manosearse los pechos, mientras comenta que los tiene divinos para su edad, dos veces veinte años ha cumplido, y no unas tetitas de nena como las de su novia, unas tetas de mujer mujer, ¿quieren verlas? Y está ya quitándose el jersey, porque en cuanto te descuidas la cubana intenta quedarse en pelotas, pero todos se apresuran a decir que no, aunque la verdad es que al matemático le echan chispitas los

132

ojos, y el hombre y Rosa, aunque se les escapa la risa, la obligan a cubrirse y le dicen que se esté quieta, que pare ya, o que se vuelva a su mesa, antes de que a Celia le dé un colapso o recurra al jefe de sala para que la llame al orden. Celia, obstinada en decir la última palabra, proclama en voz muy alta, no vayan a perdérselo los bingueros de las mesas próximas: «Esto no es un puticlub.» Y la cubana, a la que Rosa acaba de invitar a otro café con leche con todos los cruasanes que quiera, masculla entre dientes y con la boca llena: «Esto no será un puticlub, gordinflona meapilas, pero un bingo a las cuatro de la madrugada tampoco es un convento.»

16

«Me ha ocurrido algo extraño», le comenta el hombre a Rosa, «he llamado dos veces Ana a Elisa. Y lo raro es que no me había pasado nunca con ninguna otra mujer, a lo largo de tantos años, y más raro aún porque no se parecen en absoluto. Me cuesta imaginar dos muchachas más distintas.» Ana, contestataria y reivindicativa, siempre defendiendo los derechos de alguien –los obreros, los inmigrantes, los ciudadanos del Tercer Mundo, los animales y, por encima de todo, los derechos de las mujeres–; Ana, con su cabello corto siempre alborotado y sus zapatos planos y sus tejanos o sus vestidos ajenos a todas las modas, tan bonita, sin embargo, tan fuerte, tan sana, con los pies de campesina firmemente asentados en el mundo real; Ana, la enamorada –o eso le pareció durante mucho tiempo– más apasionada pero menos ciega del mundo. («No me dejabas pasar ni una, Ana, ¿recuerdas? Siempre, ya desde nuestra conversación en el bar de la universidad, exigiéndome a mí más que a los demás, exigiéndome lo que sólo te exigías a ti misma, lo cual, advierto ahora por primera vez, aunque se debiera a la alta opinión en que me tenías, debía de resultarme a la larga un poco fastidioso y tal vez propició que surgiera otra mujer, si, como repite Celia, a todos nos gustáis sometidas y alimentamos el secreto deseo de una geisha postrada ante nosotros en inmutable éxtasis, y tú, Ana, por ser como eras y a pesar de quererme tanto, o precisamente por quererme tanto, no podías fingirte distinta ni mentir cuando yo pedía tu opinión sobre algo que me concernía a mí o a mi trabajo.») Ana, que aunque el hombre le llevara un par de años, parecía más madura, y dispuesta a asumir, al menos en algunos momentos, sólo en aquellos momentos en que él se comportaba como un crío, el papel de mamá. Y Elisa, esa muchachita dotada de una belleza antigua, un punto irreal, que parece, aunque jure haber cumplido veinticinco años, poco más que una niña; Elisa, con su magnífica cabellera rubia, irisada de reflejos rojizos, sus ojos violeta, su cuerpo frágil y suavísimo; Elisa, ronroneante y mimosa como una gatita; Elisa, que viste con entusiasmo todos los disfraces que él le propone, dispuesta a apuntarse con fervor a todos sus ca-

135

prichos y sus juegos; Elisa, en permanente asombro, admirándole mucho más de lo debido –como hombre, como pintor, y, para su sorpresa, incluso como amante–, pero que está muy lejos de entenderle, y no por falta de inteligencia –si no tiene un pelo de hortera ni de puta, tampoco lo tiene de tonta–, sino porque le faltan las claves, porque pertenecen a dos mundos distintos («no he conocido a nadie como tú», asegura) y le llevará un tiempo poner las cosas, él incluido, en su justo lugar. «Mientras eso no ocurra», piensa el hombre con un asomo de inquietud por lo que pueda ocurrir después, «Elisa seguirá comportándose como la más deliciosa, la más cariñosa, de las geishas, y yo seguiré jugando, aunque ella proteste ("te pasas un montón, te pasas tres pueblos", me recrimina), el papel del más generoso de los Reyes Magos.»

«No sé. A veces se establecen relaciones raras. Quizás hayas llamado Ana a Elisa porque, al menos desde que yo te conozco, te acuerdas mucho de aquel primer amor», susurra Rosa, y luego, aprovechando que se ha interrumpido unos momentos el juego porque han cantado dos líneas y están comprobando si son correctas y averiguando si hay alguna más en la sala: «¿Qué pasó con Ana? Hace tiempo que tengo ganas de preguntártelo. La dejaste por otra chica, eso ya lo sé. Pero hubo algo más, ocurrió algo peor, ¿verdad? Y quizás por eso no te la quitas de la cabeza.» «Sí, sí lo hubo. Decimos a menudo que no existe un modo acertado de romper con una mujer, que siempre parece hacerse de la peor manera posible. Pero es que esta vez fue verdad.»

(«Han pasado casi cuarenta años y no puedo recordarlo sin que me falte el aliento, sin que se me hiele el alma, a veces incluso se me escapa en voz alta un gemido, me duele ahora mucho más que entonces lo que te hice, Ana, y qué terrible que al ser la escena final de la historia no tuviera remisión posible, que fuera aquélla la última imagen que te quedó de mí, porque desapareciste sin dejar huella y no logré volver a verte; tampoco, me digo ahora, lo intenté lo suficiente. Todos en la playa, en el chiringuito de moda, aquel hermoso atardecer de junio, todos nuestros amigos, nuestros conocidos, la gente que constituía, o eso creía al menos, el "todo Barcelona", que yo trataba de hecho más que tú, porque era más esnob, tú no lo eras en absoluto, y me encantaba codearme con ellos; la orquesta tocando en un estrado, los farolillos de colores, el baile, muchas copas, mucha hierba, y yo allí con aquella chica de la que no recuerdo ni el nombre, con la otra, porque quería ir con ella y no contigo a la verbena, y te había asegurado que me quedaría en casa, que me encontraba mal, o que tenía mucho trabajo, yo qué sé, cualquier excusa tonta, de todos modos tú ibas a creer cualquier cosa, ni te cabía en la cabeza –aunque barruntaras que me gustaban otras chicas, que cabía la posibilidad de un ligue ocasional, de una noche inesperada y loca y sin consecuencias– que fuera capaz de una mentira así, fría, deliberada, y por aquel motivo. Y de pronto te tuve ante mí, a ti y a Luis, petrificada de asombro, sin entender lo que ocurría, "pero si me habías dicho que no vendrías... a mí me llamó Luis en el último momento para que le acompañara...", sin entender lo que ocurría hasta que viste que no iba solo, hasta que aquella muchacha de la que no recuerdo el nombre se colgó, riendo tontamente, de mi brazo, y en aquellos momentos todos los que estaban allí y nos observaban con sorna, encantados de que se derrumbara una vez más el mito de la pareja ideal que habíamos representado, sabían mejor que tú lo que ocurría, y tú seguías allí inmóvil, con los ojos muy abiertos, sin decir palabra, sin darme de bofetadas, sin cubrirme de recriminaciones y de insultos, y entonces enloquecí de furia, de vergüenza, de la humillación de sentirme pillado en falta, y te acusé a gritos, delante de todos, de intentar controlarme, de espiarme de una manera inmunda, de no dejarme en paz, ¿qué derecho tenías tú a seguirme hasta allí, a interferir en mi vida?, ¿acaso no disponía yo de libertad para ir a donde se me antojara y con quien quisiera?, ¿quién demonios te creías que eras?, lo repetí va-

138

rias veces, como un demente, ¿quién diablos te habías creído que eras?, como si no supiéramos los dos que eras lo más importante que había ocurrido en mi vida, la persona a la que había querido y quizás seguía todavía queriendo más, y entonces rompiste finalmente a llorar, siempre en silencio, y Luis cayó sobre mí como una tromba, "hijo de la gran puta, te voy a romper el alma", y rodamos por la arena dándonos trompadas, hasta que nos separaron, y los dos jadeábamos maltrechos, y aquella chica de la que no recuerdo el nombre daba grititos y me cubría de besos y trataba de restañarme la sangre con un pañuelo ridículo, y tú, Ana, habías desaparecido.»)

«Sí, Rosa, sí hubo algo más», sigue diciendo el hombre con un suspiro cuando termina la partida. «En realidad fue ella quien me dejó, pero porque no le di otra alternativa. Me comporté como un canalla. Si hay algo en mi vida que daría cualquier cosa por borrar, es esto.» Sigue un silencio largo. «Prefieres no contármelo, ¿verdad?», sugiere Rosa, mientras la voz gangosa y cálida anuncia por el altavoz «atención, señoras y señores, vamos a comenzar», y el hombre asiente: «Sí. A lo mejor te lo cuento cualquier otro día, pero hoy no tengo ganas de hablar de esto. Y además acaban de entrar Celia y el matemático y vienen directos hacia aquí.»

139

17

Muy tarde ya, falta apenas media hora para el cierre, y el salón, desde que alguien, uno de los nefandos tipos que juegan en los ordenadores, se ha llevado el premio especial de la prima, los quinientos euros extra que los mantienen a todos pegados allí –ningún binguero de raza, o quizás sea lo mismo decir ninguno que padezca el grado mínimo de adicción que lo fuerza a ir allí día tras día, se larga de la sala mientras está en juego la prima, y si cierran el local y aún no se la ha llevado nadie, allí estarán al mediodía siguiente, por poco que sus obligaciones se lo permitan–, ha quedado casi vacío. A Celia ha pasado ya a recogerla, siempre amable y cariñoso, aunque ella no responda más que con exabruptos y bufidos –le han contado al hombre que el pobre tipo tuvo una única vez, hace un montón de años, un desliz, que ella no perdonó jamás, porque largas son y amargas las penas del purgatorio cuando las aplican implacables ángeles glotones, sádicos devoradores de triples bocadillos y copas dobles de helado– a sus gentilezas, y los primeros días al hombre le indignaba tan público y reiterado maltrato, pero luego pasó a irritarle todavía más la mansedumbre de la víctima y se dijo que acaso les iba bien así, una de las infinitas modalidades, quizás un punto más siniestra que otras, en que puede funcionar la pareja, de modo que desde hace tiempo ni se irrita ni casi les oye ya.

Se ha ido Celia y en la mesa sólo quedan los íntimos, los irreducibles al desaliento, el hombre, que espera a que Elisa termine su trabajo para salir juntos, y Rosa, el matemático, el filósofo de medianoche y la cubana, que al parecer no quieren dejarle solo hoy en la espera. ¿O hay algo más? Pues, a pesar de estar tan absorbido por las peripecias de su amor invernal, y por los conflictos que esta historia, cada vez más del dominio público, genera con la familia, con amigos y conocidos, incluso con el trabajo, viene advirtiendo desde hace unos días que algo extraño se ha producido en el bingo a su alrededor. Conversaciones que sostienen en cuchicheos a sus espaldas, y que se interrumpen cuando él se aproxima, miradas de inteligencia entre ellos, miradas furtivas, frases ambiguas que no termina de entender. «Me

141

están observando», piensa el hombre, «me están calibrando, y no sé por qué.» Y luego. «Es como si quisieran pedirme algo y no se atrevieran, por miedo a que me niegue o a que no sea la persona adecuada.» Se pregunta si Elisa estará o no al corriente, y si, caso de estarlo, puede no habérselo contado.

Ahora se han quedado los cuatro solos y juegan con desgana y aburridos las dos últimas partidas. Termina la última y Elisa ha salido ya del vestuario con su ropa de calle, pero se ha sentado con ellos y siguen todos allí —mientras los empleados hacen el control de las bolas y los clientes desaparecen como todas las noches en rápida y furtiva desbandada—, sin que ninguno proponga marcharse. «¿Estamos esperando algo?», pregunta por fin el hombre. Y en ese preciso instante sale Natcha del cubículo donde trabaja y se dirige hacia ellos. «De modo que te esperábamos a ti», dice el hombre, mientras se levanta para darle un beso y hacerle un sitio en la mesa. «No. Estaremos mejor en mi despacho. Yo soy la última en salir, la que tiene las llaves, la encargada de cerrar el local», dice Natcha, y añade con sorna: «Por algo soy la persona de confianza del jefe. No queda nadie más. No nos molestarán.» Todos se levantan para seguirla, y el hombre tiene en la punta de la lengua una frase mordaz, un chiste malo, sobre lo que puede ocurrir de madrugada en el despacho

142

de la persona de confianza del jefe, pero calla a tiempo.

Y cuando están todos acomodados, mal acomodados, en el minúsculo cuartucho que se llena en unos instantes del humo de sus cigarrillos, Natcha le hace al hombre la última pregunta que esperaba oír, una pregunta que tiene además el tono de un reproche: «Últimamente tus ganancias en el bingo han bajado mucho, ¿verdad?» El hombre mira desconcertado a Rosa: «No sé. Sigo cantando bastante. Me parece que sigo siendo el que más canta en la sala. Reconozco que no me fijo demasiado, ni he llevado nunca el control de lo que gano o pierdo.» «Pues yo sí», interviene triunfal el matemático, mientras se saca del bolsillo un bloc, lo golpea con un dedo, lo abre. «Aquí figura todo: ganancias totales, ganancias en relación con las cantidades invertidas en cartones —es curioso: ¿sabías que te sale más rentable jugar dos cartones que una serie entera y que no cantas casi nunca cuando llevas tres?—, ganancias por días y por semanas y por horas. Tu mejor momento son las tres y diecisiete minutos de la madrugada, a esa hora no fallas una, en cambio tu rendimiento baja a la hora de la siesta, me pregunto si andarás medio dormido y olvidarás tachar algún número, cuando Rosa no está contigo, claro, porque es impensable que a Rosa se le pase algo por alto. Y sospecho que la presencia de Elisa ha alterado los

143

números, pero no he tenido tiempo de estudiarlo a fondo, sería magnífico establecer una base científica que viniera a corroborar la creencia popular de que la suerte en el juego se contrapone a la suerte en el amor..., y espero que Elisa no lo tome a mal.»

El hombre está perplejo: «Todo esto me parece muy curioso, pero ¿por qué has abandonado tus estudios sobre el importante papel que juegan las mesas en el resultado de las partidas para ocuparte de mis ganancias, que es un tema que no le interesa a nadie, ni siquiera a mí? ¿Para qué sirve eso?» «Lo ha estudiado porque yo se lo he pedido. Se ha extralimitado un poco, de acuerdo, nuestro matemático es así. Un poco obsesivo, un poco loco, pero un genio. Yo sólo necesitaba asegurarme de que tu extraordinaria racha de buena suerte no había terminado, de que se seguía hablando de ti, apostando dinero por ti y contra ti, antes de dar el golpe.»

Ahora el hombre recuerda una conversación que sostuvo con Natcha hace ya varios días, recuerda que le comentó que el matemático había tenido una idea genial y que le necesitaban a él para llevarla a cabo. El hombre ríe a carcajadas: «¿Se trataba de esto? ¿De un atraco a la hora de mayor afluencia de público? ¿De vaciar la caja cuando el local quede vacío, con Natcha como única responsable? ¿Y para esto os parezco yo el

colaborador adecuado? Estáis absolutamente chi-
flados. Y ¿qué haces tú, Rosa, metida en tamaño
disparate?» Rosa niega con la cabeza: «No, yo no
participo en esto. Ya les he dicho que me parece
una locura, pero tampoco voy a quedarme al
margen sin enterarme de lo que pasa.» Natcha se
ha puesto seria: «Basta de tonterías. No se trata de
atracos a mano armada ni de robar la caja del bingo. Se trata sólo de que tú», y se dirige al hombre,
«ganes el supertoc pasado mañana. Está en treinta mil euros y habrá además las apuestas privadas,
que la cubana se ocupará de hacer subir al límite.
No es una fortuna, pero quedará un buen pellizco para los cinco, en mi caso para que termine sin
agobios la carrera. No incluyo en el reparto a
Rosa ni a Elisa.» «¿Cómo lo pensáis montar para
que gane precisamente uno de mis cartones?»,
pregunta el hombre, que no se plantea si va o no
a colaborar pero no puede reprimir la curiosidad.
«Es obra del matemático, fue él quien tuvo la
idea», dice Rosa. Y el matemático explica: «Ha
sido un cálculo complicado. Se trata de escamo-
tear cinco bolas cuando se vaya a jugar el supertoc —y devolverlas luego inmediatamente, claro,
antes de que nadie advierta su ausencia— y de distribuir los cartones de tal modo que alguno de los
cinco números que falten figuren en todos, menos en los tuyos. El único peligro estriba en que
Natcha ha tenido que sobornar al empleado que

145

maneja el bombo y al que distribuye los cartones, pero, si éstos cumplen y no se van de la lengua, el plan no puede fallar.» El hombre duda: «Pero el supertoc se juega en toda Cataluña, y, aunque tu plan saliera bien, cosa que dudo muchísimo, lo que no puedes es controlar lo que sucede en las otras salas.» «Ahí llevas razón», admite el matemático, «tú cantarás a la bola 27, y es un récord que parece imposible superar, pero, desde el punto de vista de la ciencia pura, hay que admitir la posibilidad de que alguien cante supertoc a cualquier bola a partir de la 15: es altamente improbable, pero no imposible, que salgan uno tras otro los quince números de un cartón. Si alguien, en otro bingo catalán, canta antes de la bola 27, la operación habrá fracasado.»

18

«Tantos años diciendo que en la vida hay que hacer locuras pero no tonterías, para terminar en esto. Algo más tonto, imposible», se dice el hombre —la noche anterior a aquella en que debe supuestamente ganar el supertoc—, abrazado al cuerpo, desnudo y dormido, de Elisa, en el diván del estudio donde se ha instalado provisionalmente hace unos días, desde que Adela le comunicó que no soportaba convivir con él bajo un mismo techo mientras no tomara una decisión definitiva y eligiera entre ella y la otra mujer. Hace calor, el diván es estrecho y el hombre casi no se mueve, no respira, por miedo a despertar a la muchacha, aunque se muere de ganas de asomarse a la terraza y encender un cigarrillo, y aunque sabe que a Elisa, como a él cuando tenía su edad, hace falta bastante más que un leve roce para arrancarla de su sueño; sabe que si la empuja o la toca, ella no hará más que ronronear un poquito —es la muchacha, es la gatita (¿no dijo Adela que era una gatita que se le había colado por la ventana?), más ronroneante del mundo, y a él le encanta—, darle un beso sin acabar de despertar y acurrucarse mejor entre sus brazos.

«Algo más tonto, imposible», se repite el hombre. Pues, aunque no se trate de un atraco a mano armada ni de desvalijar la caja fuerte del local, lo que van a hacer es un delito grave que puede llevarles a los cinco —se ha asegurado de que Rosa y Elisa queden completamente al margen— a la cárcel. Un delito montado por unos noctámbulos descerebrados y ludópatas, sobre el plan trazado por un supuesto matemático, convencido de ideas tan peregrinas como que la suerte en el juego depende de la disposición de las mesas o de las horas más o menos favorables del día. Y para colmo un plan que debería ser secretísimo y del que están al corriente al menos diez personas, a cual más disparatada y menos de fiar. ¡Cualquiera sabe lo que les estará contando la cubana visionaria a los pardillos a los que intenta liar en las apuestas, mientras les enseña la estrella de David y trata de quitarse la blusa o la camiseta! Si todo sale bien, piensa el hombre, jugará un montón de cartones durante dos o tres semanas y se atiborrará de cruasanes y de cafés con leche, y el filósofo de medianoche a lo mejor consigue alquilar un pisito para Arturo o para otro chico parecido a Arturo, y el matemático tendrá por fin un motivo para sentirse orgulloso de sí mismo y darle en las narices a esa mujer insoportable que todos aseguran que tiene, y Natcha podrá dedicar más tiempo a los dos cursos que le faltan para terminar su carrera. ¿Y él?

«¿Por qué lo hago, por qué crees tú que les he dicho que sí?», le ha preguntado la tarde anterior a Rosa, que sigue desaprobando el plan, y que ha respondido sin vacilar: «Porque te divierte. Porque cuando entraste aquí por primera vez hace dos o tres meses estabas tan aburrido que te hubieras apuntado a un bombardeo. Porque eres un niño malcriado que lo ha tenido todo y que se aburre. Y a lo mejor te gusta jugar al héroe ante tu nueva novia. Mira, los otros son lo que son, unos pobres diablos –menos Natcha, claro, que es una chica lista, pero ambiciosa y peliculera, y, como te dije el día que os conocisteis, me parece una mala pécora, igual se ha montado una salida de emergencia para quedar ella a salvo si las cosas se ponen feas y dejaros a todos en la estacada–, a los otros los entiendo, claro, y por ellos deseo que salga bien la jugada, pero tú no tienes perdón de dios.»

Abrazado a Elisa –el cuerpo firme y liso, la piel suavísima, la mata de cabello inundando como una cascada la almohada–, oyendo el respirar acompasado de su sueño profundo, a veces un murmullo cuando cambia levemente de posición, el ronroneo que él provoca con una caricia sólo por el gusto de oírla ronronear, aspirando su olor, sus múltiples olores únicos e inconfundibles, no el de la colonia de musgo y hierbas que llevaba el día que la conoció y que usa todavía a veces en el bingo. («Es extraño, Ana, que todo el afán que ponía hace cuarenta años en que usaras los perfumes que elegía con cuidado para ti, porque siempre he tenido el olfato muy fino, siempre he sido un sibarita en cuestión de perfumes, lo ponga ahora en que Elisa no se ponga ninguno, no utilice siquiera desodorante, he tenido que envejecer para calibrar en su justo valor los olores que desprende la juventud y que se van deteriorando sin remedio, como todo lo demás, con el paso del tiempo. Dentro de unos años oleré a viejo, Ana, y no será justo mezclar ese olor con el de una mujer en la plenitud de su madurez, ni unir mi piel arrugada y manchada a la suya, y todavía será menos justo compartir la decrepitud final, en la que uno sólo aspira a soportar lo mejor posible los achaques y a morir en paz, con una mujer a la que le queda todavía tanta vida por vivir. No será justo, pero si nuestra relación va adelante, y Elisa –porque sigue milagrosamente enamorada de mí, porque me quiere, o por conveniencia, lo mismo da, nunca he entendido qué tiene de tan malo que a uno le quieran por su dinero, quizás porque nunca hasta ahora me ha ocurrido a mí– está dispuesta a tamaña injusticia, sé que yo lo aceptaré. Seré el egoísta que he sido siempre, Ana. No te perdiste nada aquella noche de verbena en Sitges.»)

El hombre piensa en todas estas cosas, y en lo que puede ocurrir mañana, en que mañana, a estas mismas horas de la madrugada y si alguien se ha ido de la lengua, pueden estar todos en comisaría, prestando declaración antes de que los metan en la cárcel, y en la cara que pondrá Adela, que pondrán sus hijos, cuando les informe por teléfono –no van a negarle el derecho a hacer una llamada–, primero petrificados de espanto, pero luego, cuando lo hayan meditado mejor y lo hayan discutido entre los tres, secretamente aliviados, pues este último disparate prueba sin lugar a dudas que él se ha vuelto definitivamente loco, y todo lo que haya podido hacer, incluido su ligue con la binguera, carece por consiguiente de importancia, de modo que Adela se pondrá a buscar con su habitual eficacia al mejor psiquiatra y al mejor abogado de la ciudad. O tal vez, piensa el hombre, no ocurra nada tan grave, es muy probable que todo se reduzca a que fallen los cálculos del matemático, no gane él el supertoc y se pierda el dinero invertido en las apuestas clandes-

151

tinas. El hombre piensa en lo agradable que es tener a Elisa dormida entre los brazos —sería una pena ir justo ahora a la cárcel–, en lo suave que tiene la piel, en lo bien que huele, el hombre está pensando que hace, sin embargo, mucho calor y que le gustaría salir a la terraza y encender un cigarrillo, cuando cae a su vez profundamente dormido.

19

Faltan menos de diez minutos para la partida del supertoc, se anuncia en las pantallas. Es el de la una de la madrugada y el bingo está de bote en bote. Se han vendido muchos cartones, de modo que el ganador, además de cobrar los treinta mil euros del supertoc acumulado, se llevará un buen pellizco. De a cuánto ascienden las apuestas privadas que se han cruzado entre los bingueros, el hombre no tiene idea. Ni le importa. No está haciendo esto por dinero, no piensa quedarse siquiera con la parte que le corresponda si da resultado el plan del matemático.

Están sentados a la mesa de siempre, y de pronto al hombre se le ocurre o, mejor, tiene la certeza de que es la última vez, de que para él termina aquí hoy una etapa, de que nunca volverá a jugar al bingo, de que el proceso que se inició al entrar casi por azar hace tres meses en esta sala –y que le ha devuelto, con Elisa, la posibilidad de interesarse, emocionarse, desear, sentir, de superar la amarga predicción «cuando el amor nos deja, la muerte nos alcanza», y recuperar, con el amor, la intensidad y el goce de vivir– conducía hasta esta noche y termina esta noche. Por las pantallas anuncian ahora que faltan menos de cinco minutos para la partida del supertoc, y a continuación les desean a todos muy buena suerte (¿qué sentido tiene desearles a todos buena suerte, cuando sólo puede ganar uno?, se pregunta el hombre, claro que aquí no cabe el recurso de desear que gane el mejor), y él siente nostalgia anticipada de los amigos que no ha de volver a ver, al menos en mucho tiempo. Del matemático que, hecho un manojo de nervios, no para quieto en su silla ni deja de morderse los labios, del filósofo de medianoche, que se controla mejor pero ha abandonado por una vez su papel de amodorrado lirón de merienda de no cumpleaños, de Rosa, sobre todo de Rosa, que les mira con severa reprobación y ha manifestado hasta la saciedad su desacuerdo, pero sigue allí con ellos, solidaria, dispuesta a hacer frente a lo que ocurra, y que, si la operación termina en un desastre, no les hará, está seguro, ningún reproche, Rosa, tan ingenua en un aspecto y tan sabia en otros, tan vulgar y tan señora, Rosa, que es capaz de entenderlo todo

154

y que ha sabido escucharle como nadie. Hasta de la cubana parlanchina y exhibicionista e invasora, a la que no soporta, y de Natcha, seguramente metida ahora en su cuartucho, que, a pesar de sus aires de niña mala, de mala pécora diría Rosa, le parece a él en el fondo una pobre chica, siente esta noche nostalgia anticipada.

En todo esto piensa el hombre y no en la partida que está ya a punto de empezar, cuando se acerca Elisa despavorida: «Me manda Natcha para que os avise que alguien os ha denunciado. Se ha presentado de golpe la policía. Han revisado las bolas. Por suerte antes de que faltara ninguna, de modo que no pueden acusaros de nada; si llegan dos minutos más tarde, estaríais todos camino de la comisaría. Dice Natcha que lo controlan todo, y que procuréis mantener la calma y comportaros con naturalidad.»

Por suerte, piensa el hombre, han empezado ya a cantar los números por el altavoz y no tienen que esforzarse por fingir una calma que seguro han perdido, por contener sus probables gestos de consternación –sólo se oye la voz sorda y enfurecida de la cubana: «Seguro que ha sido Celia, esa gordinflona meapilas, la voy a matar»–, porque todos se inclinan sobre sus cartones con el rotulador en la mano, atentos a la partida, y nadie se fija en nadie. El hombre mira sus cartones. No la serie completa que suele jugar, sólo tres. Comprueba que no hay ninguno que sea capicúa, ninguno con una margarita o un gitano; ninguno de los cartones tiene el 44 en el centro, ni el 1 en un extremo y el 90 en el otro, como a él le gusta, aunque no haya caído en ese fetichismo de los números propio de los bingueros ni crea que la distribución de los cartones incida en la suerte. Cantan por el altavoz los tres primeros números, sin que tache ninguno, pero luego tacha el cuarto y el quinto y el sexto en un mismo cartón. «Los números hacen lo que quieren», piensa. Y de pronto sabe, con absoluta certeza, con la misma certeza con que supo hace unos instantes que esta noche mágica marca el fin de una etapa, que lo va a conseguir. Es una sensación extraña, que, a pesar de haber cantado bingo tantísimas veces, no había experimentado nunca. No está seguro de si los números, que hacen lo que quieren, han decidido hacerle esta última noche, esta noche mágica, un regalo de despedida, o si él ha adquirido por una vez el poder de manejarlos a su antojo, pero sí está seguro de que van a salir en el orden preciso. Falla uno, tacha dos, luego vuelve a fallar otros tres y a partir de ahí los tacha todos seguidos.

El hombre canta toc en el número 27, sin levantar la voz. Sus amigos lo miran estupefactos, incrédulos —«temen que estoy bromeando o que me he vuelto loco», piensa—, pero a Rosa le ha bastado echar una ojeada al cartón, o quizás ella no

156

ha dudado nunca, tal vez a ella le parece normal que haya logrado el toc en la bola 27, tal vez según su modo especial de ver el mundo no podía ocurrir de otro modo. Rosa le arrebata como tantas otras veces el cartón, lo levanta en el aire y grita toc tres veces a voz en grito, porque él ha hablado tan bajo que no le han oído y están cantando ya el siguiente número. Hay unos segundos de estupor y luego la sala estalla en vítores y en aplausos, todos miran hacia su mesa, hacia él, que abraza al matemático, al filósofo de medianoche, a la cubana, a un montón de gente conocida y desconocida, que estrecha manos, agradece felicitaciones. Por el altavoz y en las pantallas difunden ya la noticia de que el supertoc acumulado de treinta mil euros ha tocado en esta sala.

Y el hombre le pide a Rosa que se encargue de todo, que cobre los premios, que reparta el dinero, le dice que él se va, no sabe adónde, lejos, sí, seguramente por mucho tiempo, pero claro que volverá, seguro que volverán a verse. El hombre estrecha luego entre sus brazos a Elisa, la arrastra así, casi en volandas, hasta la calle, la mete en el coche, lo pone en marcha. «Nos vamos», dice. La muchacha protesta que no entiende, adónde van a ir a estas horas, si ni siquiera le ha dado tiempo a cambiarse de ropa, y habría que pasar por el estudio a recoger algunas cosas, tendría que avisar a sus padres. «No», se obstina el

157

hombre. «Tiene que ser esta noche, tiene que ser ahora. Nos vamos ahora, sin recoger nada, sin hablar con nadie. Mañana compraremos lo que haga falta, mañana podrás avisar a quien quieras. Si tomo la carretera y conduzco la noche entera, mientras tú duermes, al amanecer habremos cruzado la frontera. ¿De acuerdo, Elisa?» La muchacha ríe: «Estás loco, sabes, loco de remate. Me he enamorado de un chiflado. Pero sí estoy de acuerdo. Y ¿adónde me vas a llevar?» «A donde tú quieras, tan lejos como tú quieras.» «¿Hasta el infinito y más allá, como dicen mis sobrinos?», bromea Elisa. «Sí. Hasta el infinito y más allá», responde muy serio el hombre, mientras quita el freno de mano y pisa el acelerador.